# 장단주기분배론

기본소득, 기본대출, 기본주택, 기본자산의 이론적 기초
장단주기 분배론

발    행 | 2021년 5월 27일 (2021년 판)
저    자 | 김광종
펴낸곳 | 나라와 義
디자인 | 아이알 커무니케이션즈, 한국학술정보(주)
출판사등록 | 1996.01.16.(제321-1996-81호)
주    소 | 서울특별시 강남구 강남대로 342, 5층 510-16호
전    화 | 02-2282-0291
이메일 | irparty@naver.com
**나라와 義 계좌** | 하나은행 188-910551-25907

ISBN | 978-89-961429-5-9

www.irshow.com

# 장단주기분배론

김 광 종 지음

나라와 의

# 서 문

이 서문을 쓴다는 것이 부담스럽습니다. 개인적으로 여러 아픈 기억들을 떠올려야 하기 때문입니다. 그런데 이런 기억들은 여전히 현재 진행형으로 이 나라와 세계 곳곳에 있는 가난한 사람들 속에서 계속되고 있습니다.

아시아 금융 위기 이후 10 여년 만에 미국발 금융 위기가 조금씩 해결되어가는 것 같지만 가난한 사람들의 문제를 해결하지 못하고 그들의 고통을 더한 당시 한국식 금융 위기 해법이 또다시 해결책이 되고 있습니다. 이로 인해 전세값 폭등이 계속되는데, 이런 방식으로 금융 위기가 끝나간다면 이는 이 세계를 더 큰 위기로 몰아갈 가능성이 높습니다. 가난의 문제는 지구 멸망의 날까지 계속될 문제이고, 오히려 그 멸망의 원인이 될 수 있는 문제이며 이를 해결해야 할 의무는 우리 모두에게 있습니다.

중학교 때부터 시작된, 수업료를 못 내서 교무실에 불려가고, 스피커에서 이름이 불리고, 손바닥을 맞고 창피를 당하는 일들을 겪으면서 왜 공부를 열심히 하는데, 나에겐 이런 일이 벌어지는 것일까 고민했던 시절이 있었습니다. 참고서를 살 수 없어서, 시험 기간이 되기 한

참 전에 별로 공부를 열심히 하지 않는 친구의 참고서를 빌려서 빨리 암기하고 돌려주는 방식으로 공부를 했습니다. 하나님께서 암기력을 주시지 않았다면 결코 공부하기 힘들었을 것입니다. 이 친구들에게 이 자리를 빌려 감사드립니다.

중학교 때 별명이 야마꼬였는데, 식사를 잘 하지 못해 키가 크지 않아 불린 별명입니다. 초등학교 때까지는 그래도 키가 컸는데 성장기에 가정 형편이 기우니 영양 공급이 안 되니 고등학교 입학할 때도 155센티미터였습니다. 이런 친구들이 저 뿐만 아니라 많이 있었을 것이고, 세계에는 이런 아이들이 여전히 많습니다.

고등학교 때도 마찬가지로 수업료 내기도 힘들었고, 학용품을 사기도 어려웠고, 학원은 당연히 다닐 수 없었습니다. 학교 갔다 오면 떨어진 가방을 실로 꿰매는 일이 계속 되었고, 헝겊으로 덕지덕지 막아갔습니다. 수업 시간에 문제지를 푸는 수업은 고통 그 자체였습니다. 매 시간 짝꿍 것을 같이 보아야 했는데, 너무 미안했기 때문입니다. 이 친구들에게 이 자리를 빌려 감사드립니다. 고3 때는 이런 수업이 대부분이었는데 참으로 고통스러웠습니다.

밤마다 야간 자습이 끝나고 집으로 갈 때, '죄짐 맡은 우리 구주'라는 찬송을 부르며 밤하늘을 보며 울고 간 날이 많습니다. "시험 근심 걱정 아니진 자 누군가  무거운 짐 우리 주께 맡기세"라는 대목에 선 눈물이 맺혔습니다.

하나님 은혜로 이런 상황 가운데서도 대학에 진학했지만, 고향을 떠나 서울에서 사는 시간들은 이제 수업료, 식사 문제를 넘어서 주거 문제로까지 이어졌습니다. 1981년도 당시 한 학기 기숙사비가 10만 원이었는데, 이 돈을 마련할 수가 없어서 결국 들어가지 못했습니다. 단칸 방 친척 댁에서 끼어살기, 달동네 자취방 전전하기, 선배 집에 얹

혀살기. 최근의 금융 위기는 이런 아이들과 사람들을 양산하고 있습니다.

대학 시절은 학교에 있는 시간보다 아르바이트 하러 다니는 시간이 더 많았습니다. 이제 주거비까지 벌어야 했기 때문입니다. 과외 금지 시기라, 식당 접시 닦이, 교통 아르바이트, 외상 미납자 주소 찾기 등등. 여기에 학교 임원, 선교 단체 임원 등을 맡으면서 성적은 거의 학사 경고 수준이었습니다. 초등학교까지는 아버지 사업으로 부유하게 살았지만, 아버지 사업이 기울게 되면서 겪은 일입니다.

처음엔 성서 고고학을 하려고 고고학과에 갔는데, 학교에선 돌이 날아다니는데, 과에서는 그 돌의 성분과 기능을 연구하니 정말 공부하기 싫었습니다.

대학을 마치고 군대에 갔는데, 구타를 당하고 나서도 밥시간이 되면 밥이 나온다는 사실이 기뻤습니다. 근 10여 년이 언제나 배고픔과 밥 먹는 문제로 고통이었기 때문입니다. 지금도 라면을 싫어하는 이유입니다. 친구가 집에 밥 먹으러 가자고 하면 그렇게 고마울 수가 없었습니다. 지금도 밥 초대받는 것이 항상 행복합니다. 그리고 저도 같이 식당에서 식사를 하면 가급적 제가 밥을 사려고 합니다. 저희 아버지께서 톨스토이의 문구를 인용하신 적이 많으십니다. "눈물에 젖을 빵을 먹어보지 않은 자와 인생을 논하지 말라" 전주에서 군용 열차를 타고 춘천 102보충대로 가는데, 관악산을 지나고 있었습니다. 머리는 빡빡 깎았고 군기를 잡히면서 차창으로 바라본 관악산은 지난 4년을 떠올리게 만들었고 눈물이 핑 돌았습니다.

학생으로 산 시간이 아니라 도시 빈민으로 산 시간이었고, 그 아픈 추억들이 떠올랐기 때문입니다. 대학 1학년 때 구로동에서 살았는데,

아침에 학교에 가다보면 내 또래의 청년들이 공장으로 출근하는 행렬과 마주치게 되었습니다. 그래도 나는 고생하면서 대학에 다니는데 이들은 왜 저곳으로 갈까? 버스비가 없어서 구로동에서 서울대학교까지 걸어간 날들도 가끔 있었습니다. 학교에 가면 백골단과 함께, 부유한 집 아이들의 행색을 보면서 이 세상은 왜 이렇게 되어갈까 고민했습니다. 하부 구조가 상부 구조를 결정한다는 이론이 제게도 어느 정도 맞았습니다.

하나님을 믿고 싶었지만 믿기지 않았습니다. 중 2때부터 교회에 다녔습니다. 긴 가난의 시간 동안 하나님을 찾았습니다. 찬송가는 큰 위로가 되었습니다. 열심히 성경도 보았지만 그 진실성에 접근하지 못했습니다. 입학하자마자 한국 네비게이토 선교단에 들어갔는데, 하루는 학교 식당에서 성경 공부를 하고 있었습니다. 그 날도 데모가 있었고, 학생들이 백골단에게 쫓겨 식당으로 몰려들어왔고 잡혀가기 시작했습니다. 선배들은 우리에게 일어나 자연대 쪽으로 가서 성경 공부를 계속하자고 했습니다. 이들이 섬기는 하나님이라면, 즉 사람의 고통에 관심 없으신 하나님이라면 이 분을 찾을 이유가 없다는 생각이 들었고, 그 선교 단체를 나왔습니다.

교회도 마찬가지였습니다. 사랑의 교회도 다닌 적이 있고, 동네 교회에서 주일 학교 교사도 계속 했지만, 이 사회의 문제를 지적하고 공의를 이야기하고 이 사회를 정의롭게 바꾸는 일에는 헌신하지 않았습니다. 그저 공허한 믿음과 구원 이야기, 옛날이야기의 연속이었습니다. 오늘의 문제, 오늘 가장 큰 문제에 대해 이야기하지 않았습니다. 지극히 개인적인 일들만이 대부분 설교의 주제였습니다. 이 사회의 악의 뿌리인 악한 강자들에 대한 비판을 이들은 하지 않았습니다. 예수님께서는 당대의 악한 강자들인 헤롯과 바리새인들과 빌라도를 향해 죄악을 지적하셨지만, 예수님을 전한다고 하는 오늘날의 목회자들 중에 이렇게 하는 이들은 참으로 드뭅니다.

학교 친구들 중에는 마르크스 이론에 깊이 침잠된 이들이 있었는데, 그것도 대안으로 보이지는 않았습니다. 잉여가치 이론이 맞는 부분이 있지만, 여기에서 하나님의 몫을 제외한 것은 큰 오류입니다. 노동 문제는 자본가와 노동자 사이의 문제만이 아니라, 하나님과 인류와의 문제이기도 합니다. 여기에 악한 자본가와 악한 정치가들의 불의가 더해져 가난한 노동자들의 고통이 더해진 것입니다.

민주화 운동은 계속되었지만 거기에 직접 나설 용기도 이론도 없었습니다. 이 자리를 빌려 민주화 운동에 헌신한 모든 분들께 깊은 감사를 드립니다. 그런데 군부 독재에 맞선 민주화 세력이 집권하고서 서민들의 경제적 민주화를 이루는 일에 실패함으로써 그들은 권력을 잃고 서민들은 더욱 힘들어졌다는 점에서 정치적 민주화는 경제적 민주화와 함께 하지 않은 한, 그리고 귀족 민주화 세력으로는 대안이 될 수 없다는 것을 우리는 알게 되었습니다.

무언가 정리되지 않는 상태, 혼돈은 지속되었습니다. 소경된 목사들의 엉터리 설교, 학내 데모, 무자비한 진압, 개인적 가난. 군부 정권의 불의한 권위에 복종하라는 소경된 목사들은 느헤미야 다니엘과 이완용의 차이를 구별하지 못했고 전두환과 아합을 연결시키지도 못했습니다. 엘리야와 아합의 관계도 이해하지 못했고, 이사야 미가 등은 언급조차 하지 않았습니다. 그저 베드로에 대한 가증한 농담들이 그들 설교의 주 내용이었습니다.

빌라도와 예수님의 관계, 예레미야의 항복 권유 등을 이해할 수 없었던 자들이 교회 강단을 장악하고 있었고, 이는 지금도 마찬가지입니다. 신사참배의 후학들이 지금 한국 교회를 장악하고서 신사참배를 반성한다고 하지만 역시 오늘날의 신사참배를 감행하고 있습니다. 마치 예수님 앞에서 유대인들이 자신들이라면 조상들처럼 선지자들을 잡아 죽이지 않았을 것이라고 말하면서 결국 예수님을 잡아 죽인 것처럼.

2학년 때부터 ESF(한국기독대학인회)라는 모임에 나가기 시작했는데, 큰 차이는 없었습니다. 매일 겪는 혼돈에 대한 답을 주지 못했습니다. 그저 허공에 뜬 구원과 믿음 이야기가 지속되었습니다. 성경 공부가 끝나면 각자 자기 집으로 돌아갔는데, 저는 한때 그 곳에서 잠을 잤습니다. 공부가 끝난 테이블에 올라가 잤습니다. 잘 곳이 없었기 때문입니다.

사도 바울께서 가난과 부함에 처하는 일체의 비결을 배우셨다고 하셨는데, 저는 아직 그 경지에 도달하지 못하고 고통스러웠습니다. 그러나 사도 바울의 진정성이 가슴에 와 닿았습니다. 저리도 고통을 겪고, 가난을 겪으면서 쓰신 글이라면 그 분이 섬기는 하나님을 믿겠다는 생각이 들었습니다. 차디찬 자취방에서 성경을 읽다가 든 생각이었습니다. 이때 신앙이 생겼습니다. 구약을 읽다가 하나님은 가난한 사람들, 고통 받는 사람들에게 얼마나 관심이 많으신지 알게 되었습니다. 지금 이 땅의 많은 목사들이 거짓 선지자들, 거짓 제사장들임을 알았습니다.

그러면서 이 세계의 가난의 문제를 어떻게 풀며, 저개발국의 문제를 어떻게 해결해야 할 지 고민에 고민을 거듭했습니다. 그 첫 번째 답이, LG화학을 다니다가 나와서 1991년에 다시 들어간 외교학과의 졸업 논문으로 쓴 "한국 자본주의의 주체적 조건 발전론"입니다. 종속론과 근대화론이 아닌 주체와 조건의 관계 속에서 어떻게 부패를 제거하고 공평한 사회를 건설할 수 있는가에 대한 답을 찾은 책입니다.

이 책 이후 계속해서 고민한 것이, 국가 체제 내에서 어떻게 빈부 격차, 양극화 문제를 해결하고 동시에 선진 국가 진입에 성공할 수 있는가 하는 점이었습니다. 2004년, 성경적 토지 정의 모임과의 토론회에서 '진보와 빈곤'을 토대로 그 구성원들이 제시한 지대조세제가 아니라, 포괄적 정책이 필요하다는 생각을 정리한 것이 바로 '장단주기 분배론'입니다. 가난은 조세의 문제로 자동적으로 해결되는 것이 아니라, 재정 분배의 문제가 함께 되어야 풀릴 수 있는 문제입니다.

우리는 오히려 미국과는 달리 이 조그마한 땅 덩어리에서 모든 땅을 악한 자들에게 내어주고 그들에게서 세금을 받으려는 방식보다는 국가가 최대한 수도권을 중심으로 한 지역과 주택과 관련한 토지들을 장악하는 정책을 펼치고, 지대조세를 통한 재정 확보가 아니라 창세기에 나오는 요셉의 정책방식으로 국가가 토지 장악 후에 임대료를 통한 재정 확보가 더 적합한 방식임을 천명합니다.

한반도는 아직도 분단되어 있고, 그 원인이 조선 시대의 양극화와 관련이 있습니다. 남한 내에도 여전히 이 문제가 지속되고 있고 세계는 이 문제로 대부분의 나라가 고통을 겪고 있습니다. 이 세계를 창조하신 하나님께서는 이런 문제가 공동체 내에서 생길 것을 아시고, 신명기에서 이에 대한 답을 미리 주셨습니다. 이 책은 바로 그 답을 오늘에 맞게 적용해보려는 것입니다. 자본론과 국부론을 넘어, 오늘 이 땅에 필요한 이론을 찾아내는 것이 천만 기독인을 자랑하는 이 시대의 이 나라의 책임입니다.

저는 지난 80년대, 많은 친구들이 노동 운동과 민주화 운동으로 잡혀가고 고통을 겪을 때, 보다 적극적으로 그들과 함께 하지 못했습니다. 이것이 큰 짐이었습니다. 저도 84년도에 학교 앞에서 전경에게 맞아 1년을 고생한 적이 있습니다. 거의 매일 최루탄 냄새를 맡고 살아야 했던 시절, 도시빈민으로 산 시절이 그나마 미안함을 덜어 주지만, 그래도 보다 적극적으로 이 문제를 풀지 못했다는 점은 제 인생의 큰 짐이었습니다. 지금 아리랑당을 만들어가면서 정치를 하고 있는 이유가 여기에 있습니다. 그리고 이런 대안을 찾고 그것을 실현하는 것이 제 신앙 양심이고, 지난 시절 고통을 겪은 이들에 대한 의무입니다.

이 책이 아무쪼록 우리 사회와 이 세계의 문제를 푸는 일에 조금이라도 도움이 되었으면 하는 바램입니다. 이 책을 가난으로 고통 겪는 모든 이와 하나님께 바치며, 여기까지 오도록 도와주신 모든 분들에게 공을 돌립니다.

가난을 겪다가 그대로 주저앉는 사람, 그것을 이겨내고 부자가 되어 다른 가난한 사람들을 돌보는 사람, 가난을 이겨냈지만 그래서 부자가 되었지만 다시 다른 가난한 사람들을 착취하는 사람들이 있습니다. 가난을 겪었지만, 그 문제에 대한 항구적 답을 찾아내고 사회적 구조 개혁을 통해 정의로운 사회를 건설해내려는 것이 가난을 겪은 사람이 가질 수 있는 가장 좋은 길이라는 생각을 합니다. 조엘 오스틴 류의 긍정의 힘이 아니라, 부정과 긍정을 하나님 앞에서 정의롭고 정확하게 사용하는 힘이 우리에게 필요합니다.

악독한 대부업자들, 고리대금 구조, 부동산 대출의 불의, 악한 법을 제정하는 정치인 등은 우리가 척결해야 할 부정입니다. 가난을 개인의 힘으로, 이웃의 힘으로, 사회의 힘으로 함께 풀어낼 때만 풀릴 수 있습니다. 그 길을 함께 찾아가 보십시다.

사도행전을 보면 사도들께선 가난한 사람들의 문제를 항상 잊지 말라고 부탁하셨습니다. 땅 끝까지 이르러 예수님의 증인이 되어야 합니다. 예수님께서 돌아가신 이유는 우리의 죄 때문입니다. 이 죄 중에 가장 큰 것 중 하나가 바로 가난한 이웃을 돌보지 않는 것입니다.

왜 복음과 가난한 이웃을 돌보는 일이 같이 되어야 하는지 교회가 잘 이해하고 있지 못합니다. 하용조 목사 같은 분은 구제가 믿음의 본질이 아니라고 설교합니다. 큰 오해입니다.

복음과 구원은 죄와 관련이 있습니다. 죄는 형제를 사랑하지 않는 것입니다. 이 형제가 바로 고통 받는 사람들입니다. 그 고통의 귀결이 가난입니다. 병이 들면 가난해지고, 직장을 잃으면 가난해지고, 부모를 잃으면 가난해집니다. 그래서 복음은 가난과 깊은 관련이 있습니다. 가난한 사람들에게 복된 소식이 전해져야 합니다. 이것이 복음입니다. 장단주기분배론은 바로 복음입니다. 나눠서 모두 가난해지자는 것이 아니라, 모두 사람답게 하나님의 형상을 따라 지음 받은 사람답게 살아야 합니다.

우리말에 가난 구제는 나라님도 못한다는 말이 있는데, 이는 틀렸습니다. 구약 성경 신명기에선 분명히 이와 같이 하면 너희 중에 가난한 사람이 없으리라고 가난 문제 해결에 대한 명확한 답을 제시해주십니다. 의식주는 기본입니다. 천부적 인권입니다. 거기에 대해 교육 받을 권리도 천부적 권리입니다. 사람이 떡으로만 살 것이 아니요, 하나님의 입으로 나오는 모든 말씀으로 살 것이라고 하셨습니다. 사람은 떡으로만 사는 것이 아니라, 생각으로 살기 때문입니다. 생각은 교육으로 채워집니다.

저도 부모님께서 그 가난 중에도 계속 교육을 시키셨기 때문에 그나마 이 책도 쓸 수 있습니다. 또 국민들이 낸 세금 혜택을 받아 국┌공립학교에서 공부할 수 있었기 때문에 이 책을 쓸 수 있었습니다. 또 교육 받은 서민의 아들들이 취업한 기업들이 제3세계에 팔아 벌어온 돈은 국가 발전에 토대가 되었다는 점에서 제3세계 국민들에게 우리는 빚을 지고 있습니다. 땅끝 나라까지 나아가서 그들의 가난의 문제를 해결해주어야 하는 것이 우리의 의무입니다.

교육은 가난 문제 해결에서 아주 중요한 요소입니다. 고전 작품들, 특히 무엇보다 성경을 읽을 수 있었던 것은 큰 축복입니다. 성경도 교회에서 너무도 잘못 가르쳐지고 있습니다. 예수님께서는 서기관과 바리새인들의 누룩을 주의하라 하셨습니다. 아리랑당이 다윗 왕과 여호사밧 왕(역대하17) 요시야 왕의 일을 감당해야 합니다. 구체적으로, 또 원천적으로 가난이 무엇인지, 그리고 그 해결책이 무엇인지 답을 찾아가보도록 하겠습니다.

진보 속에 여전히 빈곤의 문제가 확대되어진다는 헨리 조지의 진단은 정확합니다. 그러나 그 처방은 틀렸음이 노무현 정부가 임대 아파트 정책은 간과한 채 종합부동산세 도입방식으로 해결하려 했던 것에서 드러났습니다. 마르크스도 노동자들의 빈곤의 악순환을 정확히 증명했지만 그의 해법도 사회주의 국가들에서 드러난 것처럼 경쟁과 인센티브를 배제함으로서 실패했습니다.

그래서 그 해답은 우리가 새롭게 찾아야 합니다. 경쟁하면서도 분배되어지고, 분배되어지면서 전체가 성장하는 방식, 가난을 구제하면서도 국가 공동체적으로 선진국가가 되는 방식을 찾아내는 일이 장단주기분배론입니다. 자원을 효과적으로 분배하고 사용하고 성장시키는 방법을 찾아야 합니다. 무조건적인 환경 보호가 아니라, 땅을 이롭게 다스리는 방법을 찾아내야 합니다. 또 모든 국가들이 경쟁하면서도 협력하고 함께 잘 살 수 있는 구조를 만들어내는 일이 장단주기분배론의 궁극적 목표입니다. 모든 인류, 모든 국가는 한 조상에게서 시작되었고 그 조상의 아버지는 하나님이십니다. 우리가 모든 나라가 서로 사랑해야 하는 이유입니다.

경제 문제가 해결된다고 모든 문제가 해결되는 것은 아닙니다. 악한 혀의 문제는 경제 문제와 무슨 상관이 있을까요? 형제를 이간하는 악한 자들의 악한 말과 같은 문제, 악한 법의 문제, 수많은 문제들이 있지만 이 모든 것들과 함께 경제 문제의 양극화를 해결해야 하는 것이 또 큰 일입니다. 우리는 경제 문제로 시작해서 나와 이 세상의 모든 악한 문제들을 해결해가야 합니다. 하나님의 징계를 받게 될 느부갓네살에게 다니엘은 권면합니다. 공의를 행하고 가난한 사람들을 돌보면 하나님께서 그를 구해주실 수 있으실 것이라고 말입니다. 우리가 다시 공의를 행하고 가난한 사람들을 돌보아야 하는 것은 우리의 생존을 위한 일입니다.

# Contents

# 사랑과 영생을 위한 경제

## 가난한 사람에게
## 모든 소유를
## 그리고 예수님을 따르라

사람들에게 있어서 이 세상에서 가장 중요한 것은 무엇일까? 아마도 목숨이 아닐까 싶다. 이 목숨을 연장하고, 그 삶을 풍요롭게 하기 위해 필요한 것이 경제적 여유다. 그래서 이러한 개인들이 모여서 만들어내는 경제 활동은 인간 세계에 갖가지 모양을 만들어낸다.

그러면 과연 이들은 이러한 경제 활동을 통해 그들이 원한 바를 얻었는가? 날마다 들려오는 범죄, 사고, 전쟁은 이들이 그것을 얻지 못하고 있음을 보여준다. 특히 대부분의 사람들은 소수의 안녕을 위해 그 목숨을 단축시키고 있고 절망 가운데 빠져 있다. 그렇다면 이 문제들을 어떻게 풀어갈까?

먼저 마태복음 19장을 보자.

16 어떤 사람이 주께 와서 가로되 선생님이여 내가 무슨 선한 일을

하여야 영생을 얻으리이까 17 예수께서 가라사대 어찌하여 선한 일을 내게 묻느냐 선한 이는 오직 한 분이시니라 네가 생명에 들어가려면 계명들을 지키라 18 가로되 어느 계명이오니이까 예수께서 가라사대 살인하지 말라, 간음하지 말라, 도적질하지 말라, 거짓 증거하지 말라 19 네 부모를 공경하라, 네 이웃을 네 몸과 같이 사랑하라 하신 것이니라 20 그 청년이 가로되 이 모든 것을 내가 지키었사오니 아직도 무엇이 부족하니이까 21 예수께서 가라사대 네가 온전하고자 할찐대 가서 네 소유를 팔아 가난한 자들을 주라 그리하면 하늘에서 보화가 네게 있으리라 그리고 와서 나를 좇으라 하시니 22 그 청년이 재물이 많으므로 이 말씀을 듣고 근심하며 가니라

이 말씀은 지금 세계에서 벌어지는 경제 현상의 본질은 무엇이며, 이를 둘러싼 논쟁이 간과하고 있는 것은 어떤 것이며 대안은 무엇인지 알 수 있게 하는 귀중한 말씀이다. 부자 청년은 왜 영생을 얻고자 했으며, 또 영생을 선한 일을 하는 것과 왜 연계시켰을까? 그리고 왜 예수님은 계명을 지키는 일과 영생을 얻는 일을 결부시키셨을까? 그리고 부자 청년은 계명을 다 지켰다고 확신했는데도 그 소유를 팔아 가난한 자들에게 나눠주라시는 말씀에는 근심하며 갔을까?

이상의 것들을 잘 살펴볼 때 우리는 위의 답들을 찾아볼 단서가 어렴풋이 보이기 시작한다. 자본주의, 사회주의, 제3의 길 그리고 지대조세제식의 자유사회주의자, 신자유주의자 등 다양한 방식이 대안을 제시하고 있지만 여전히 유효하고 적절한, 세계를 포괄할만한 이론이 제시되지 못하고 있다. 우리는 이 책을 통해서 이러한 이론들의 문제점을 짚어보고 아울러 우리가 마련한 이론, 성장과 분배에 관한 근본적 대안 즉 '장단주기분배론'을 정립하고 그 실천 방안을 제시하고자 한다.

대부분의 경제 논쟁은 욥의 세 친구 식이며, 왕이신 하나님을 정치 권력의 자리에서 이스라엘이 추방하였던 것처럼 이제는 경제 주권의 자리에서도 몰아낸 자들의 논쟁이며 그들의 이론에 기반한 경제 행위는 야합적 찬탈이라 할 수 있다. 왜 왕들에게 하나님의 말씀을 항상 읽으라고 하셨을까? 바로 이 땅에 가장 정의로운 길을 찾을 수 있는 방법이 여기에 있기 때문이다. 성경은 오늘날도 여전히 우리에게 이 땅의 정의의 문제를 해결할 길을 제시해주신다. 이 책에서 우리는 그것이 옳음을 다시 발견한다.

우리가 성경에서 발견한 것은 이스라엘이 '생활수단과 생산수단을 단주기, 장주기적으로 복합화하여 분배하는 시스템'을 통해 이스라엘의 경제 문제를 해결하였다는 점이다. 이것을 우리는 '장단주기분배론'이라 부른다. 이 시스템을 통해 하나님은 이스라엘에 가난한 자가 없게 만드셨고 이스라엘이 항구적으로 발전하는 시스템을 갖추고, 인류 최고의 부강국가가 되도록 하셨다. 이것은 이스라엘에만 유리한 제도가 아니다. 하나님은 이스라엘을 모델로 하여 모든 국가들이 이렇게 되기를 바라셨다고 본다. 이것이 바로 하나님의 나라가 이 땅 가운데 이루어지는 것이다. 그러나 결국 이스라엘은 이 시스템을 지키지 않았고, 하나님의 징계를 받아 온 세계로 흩어졌다.

지금 이 세계가 여전히 이런 방식으로 진행된다면 하나님의 진노를 피할 수 없게 된다. 세계화를 통해 오히려 빈곤층이 더욱 어렵게 되는 시스템이 지금의 세계를 주도하고 있다. 이 시스템을 바꾸지 못한다면 세계는 대재앙을 맞이하게 된다. 세계는 날이 갈수록 발전해가는 것 같지만, 어제는 걸어가서 일을 볼 수 있었던 사람도 오늘은 버스를 타고 가지 않으면 일을 보기 어려운 구조로 세계는 변화되어지고, 버스비는 계속 올라간다. 이것이 바로 발전 속에 놓인 불평등의 확산이다. 우리는 적극적으로 이 문제를 해결해야 한다. 우리가 발견한 대안, 장단주기분배론이 어떤 것인지 이것이 이 세계에 어떤 적합성을 가지고 있는지 살펴보자.

# I

# 가난한
# 사람들은
# 누구인가?

복덩어리, 거치는 모퉁이돌

# 1장

# 가난한 사람들은 누구인가?

## 복덩어리, 거치는 모퉁이돌

이 세계 속에 언제나 존재하고 있는 가난한 사람들이 누구인지, 왜 이들의 문제를 풀어야 하는지에 대해 먼저 고민해야 한다. 발전의 과정에서도 항상 존재하는 이들의 문제를 어떻게 풀어주어야 할지 대답해야 한다. 이 질문에 제대로 답변하지 못하면 전혀 엉뚱한 결론에 도달하게 되고 파멸을 자초하게 된다.

왜 가난한 사람들이 생겨서 우리를 고통스럽게 만드냐고 물을 사람이 있을까? 이들에게 주어보았자 도덕적 해이만 유발한다고 말하는 사람이 있을까? 이렇게 말하는 사람들은 천국 문을 막고 서서 그들도 들어가지 않을 뿐만 아니라 우리가 들어가는 것까지 막는 자들이다.

가난한 사람들은 우리를 영생으로 인도하는 사람들이다. 하나님이 무엇이 부족해서 이 사람들을 우리 곁에 있도록 하셨겠는가? 우리를 영생으로 인도하시기 위해서다. 한 마디로 가난한 사람은 그 이웃에게 복덩어리다. 그러나 이들을 무시하는 자에게는 거치는 돌이 된다. 이 모든 논의의 전제 조건이 하나님이시다. 이 점을 거부하는 사람은 이 논의를 인정하기 어려울 것이다. 이 부분은 어쩔 수 없다. 모든 것에는 열매가 있다. 뿌리가 좋다면 열매도 좋으리라. 우리가 여기서 논의한 방식이 좋다면 그 열매는 반드시 좋으리라.

신명기 15장 말씀을 보자.

1 매 칠 년 끝에는 면제하라 2 면제의 규례는 이러하니라 그의 이웃에게 꾸어준 모든 채주는 그것을 면제하고 그의 이웃에게나 그 형제에게 독촉하지 말지니 이는 여호와를 위하여 면제를 선포하였음이라 3 이방인에게는 네가 독촉하려니와 네 형제에게 꾸어준 것은 네손에서 면제하라 4-5 네가 만일 네 하나님 여호와의 말씀만 듣고 내가 오늘 네게 내리는 그 명령을 다 지켜 행하라 네 하나님 여호와께서 네게 기업으로 주신 땅에서 네가 반드시 복을 받으리니 너희 중에 가난한 자가 없으리라 6 네 하나님 여호와께서 네게 허락하신 대로 네게 복을 주시리니 네가 여러 나라에 꾸어 줄지라도 너는 꾸지 아니하겠고 네가 여러 나라를 통치할지라도 너는 통치를 당하지 아니하리라 7 네 하나님 여호와께서 네게 주신 땅 어느 성읍에서든지 가난한 형제가 너와 함께 거주하거든 그 가난한 형제에게 네 마음을 완악하게 하지 말며 네 손을 움켜 쥐지 말고 8 반드시 네 손을 그에게 펴서 그에게 필요한 대로 쓸 것을 넉넉히 꾸어 주라 9 삼가 너는 마음에 악한 생각을 품지 말라 곧 이르기를 일곱째 해 면제년이 가까이 왔다 하고 네 궁핍한 형제를 악한 눈으로 바라보며 아무 것도

주지 아니하면 그가 너를 여호와께 호소하리니 그것이 네게 죄가 되리라 10 너는 반드시 그에게 줄 것이요, 줄 때에는 아끼는 마음을 품지 말 것이니라 이로 말미암아 네 하나님 여호와께서 네가 하는 모든 일과 네 손이 닿는 모든 일에 네게 복을 주시리라 11 땅에는 언제든지 가난한 자가 그치지 아니하겠으므로 내가 네게 명령하여 이르노니 너는 반드시 네 땅 안에 네 형제 중 곤란한 자와 궁핍한 자에게 네 손을 펼지니라

부자 청년이 가진 것, 이스라엘이 가진 것은 모두 하나님의 것이다. 그래서 하나님은 이것을 가난한 자들에게 주라 말씀하실 권한이 있으시다. 어떤 사람이 한 은행에 거액의 돈을 맡겼는데, 어느 날 그 사람이 그 은행장에게 그 돈을 모두 가난한 사람에게 주라 하였다. 그러자 이 은행장이 그 돈을 자기 것이라 우기면서 그럴 수 없다고 한다면 어떤 일이 벌어지겠는가? 기존 경제학은 분배와 재분배에 대해 잘못된 정의를 내리고 있다. 소득이나 부(富)가 여러 생산 요소를 제공하는 경제주체 사이에 어떻게 분배되느냐에 따라 크게 두 가지 분석 시각이 있다.

개인 간 분배와 기능적 분배가 그것이다. 개인 간 분배는 소득이나 부의 획득·보유를 개인차원으로 파악하려는 것이다. 기능적 분배는 자본·노동·토지 등 이른바 생산요소의 기능면에서 파악하려는 것이다. 기능적 분배는 생산요소에서 가장 중요한 부분을 간과함으로써 분배 왜곡을 가져오는 빌미를 제공하게 된다. 이것은 다시 잘못된 재분배 개념으로 이어진다.

가난한 사람들에게 나눠주는 것은 분배인가? 재분배인가? 가난한 사람들이 생산에 참여하지 않았다고 보기에 이를 재분배라고 한다. 그러나 하나님이 생산에 참여하셨고 하나님의 몫을 가난한 사람들에

게 돌리시는 것이기에 이는 분배에 해당한다. 부자들이 도덕적 해이에 대해 크게 오해하고 있다. 가난한 사람들이 사회복지적 혜택을 받는 것이 도덕적 해이로 이어질 것이라고 말하는 사람들이 있다. 그러나 이것은 큰 오해다. 오히려 자기 것이 아닌 것으로 그 소유권을 주장하며 그 소유권자의 의사에 반하여 분배하지 않는 자들이 진정 도덕적으로 해이한 자들이다. 이들은 소돔과 고모라의 심판을 초래한다.

가난한 사람들은 왜 생겨나는 것일까? 이유는 다양하다. 자신의 잘못, 무능, 게으름, 질병, 실패, 주변의 착취, 천재지변, 하나님의 심판, 희생(예수님처럼 스스로 가난을 택하는 것)등 다양하다. 위에서 본 신명기 말씀에도 가난한 자가 항상 생길 수밖에 없다고 말씀하신다. 그러나 하나님이 주신 법을 따라 행하면 이들이 곧 회복된다. 그러면 가난은 왜 구제되어야 하는가? 하부구조와 상부구조의 개념으로도 이해할 수 있다.

하나님은 이스라엘이 모두 하나님 앞에서 서로 사랑하며 서로 대등한 존재로 살면서 세계 모든 국가의 모범이 되기를 원하셨다. 그러기 위해선 경제적 평등은 필연적 조건이었다. 정치적으로도 대등한 관계가 모든 사람들 사이에 필요하다. 이 토대가 바로 경제적 평등이었다. 빈부 격차가 생기기 시작하면 국가 토대가 깨지게 된다. 하나님은 이스라엘을 하나님 나라의 모형으로 만들기를 원하셨다. 하나님만 지도자이시고, 사람들은 모두 서로 사랑하며, 정치적으로나 경제적으로 평등한 관계의 세계다.

가난은 이미 고통이다. 가난의 고통을 받는 자에게 추가 고통을 주어선 안 된다. 예수님 앞에 불려온, 간음하다 붙잡힌 여인을 예수님은 정죄하지 않으셨다. 그녀는 이미 고통을 치렀다. 그녀에겐 오히려 용서가 필요하다. 가난의 원인이 무엇이든간에 이 사람들은 보호되어야 하고, 재기할 수 있도록 천부적 기본 생활수단과 천부적 기본 생산수단(토지, 노동, 자본)이 제공되어야 한다.

들개 떼조차도 사냥 중 다친 동료에게 먹을 것을 가져다준다. 하늘을 나는 철새도 지친 동료를 보호하며 그 먼 길을 날아간다. 이것만이 그 조직 전체를 살리기 때문이다. 예수님은 의인을 위해 오신 것이 아니며, 죄인을 위해 오셨고 돌아가셨다. 우리가 가진 모든 것은 부자가 아니라, 가난한 자들을 위해 사용되어야 한다. 잔치에 가난한 자, 장애인 등 다시 갚아줄 수 없는 사람들을 초대하라고 하셨다. 이곳이 바로 천국이다. 이러한 곳에는 하나님의 복이 임한다.

하나님이 가난한 사람들을 우리 옆에 두시는 것은 우리를 시험하기 위해서다. 하나님이 직접 이들을 도우실 수 있지만 우리를 시험하고 우리를 성장시키기 위해서다. 누구나 가난해질 수 있다. 그래서 이들을 회복시키는 시스템이 사회에 항상 존재해야 한다. 그러면 이 사회는 극단적 불화가 발생하지 않는다. 오늘날 우리가 목도하는 많은 범죄는 바로 이런 시스템이 없기 때문에 생긴 것이다. 하나님은 말씀하신다.

> 가난한 자의 장자는 먹겠고 빈핍한 자는 평안히 누우려니와 내가 너의 뿌리를 기근으로 죽일 것이요 너의 남은 자는 살육을 당하리라
> (사14:30)

가난한 자들을 학대하고 그들을 돌보지 않고 그들을 착취한 강자들과 부자들이 어떤 일을 당할 것인지 우리는 잘 알 수 있다. "네가 네 마음에 이르기를 내가 하늘에 올라 하나님의 모든 별 위에 나의 보좌를 높이리라 내가 북극 집회의 산 위에 좌정하리라"(사13:14)고 마음

먹던 자들이 결국엔 "그러나 이제 네가 음부 곧 구덩이의 맨 밑에 빠치우리로다"(사13:15)는 심판을 받게 된다.

# II

# 생활수단
# 확보와영생

"그러므로 형제들아 우리가 빚진 자로되 육신에게 져서 육신대로 살 것이 아니니라 너희

육신대로 살면 반드시 죽을 것이로되 영으로써 몸의 행실을 죽이면 살리니" (롬8:2-13)

· 2장 ·

# 생활수단 확보와 영생

그러므로 형제들아 우리가 빚진 자로되 육신에게 져서 육신대로 살
것이 아니니라 너희가 육신대로 살면 반드시 죽을 것이로되 영으로
써 몸의 행실을 죽이면 살리니(롬8:2-13)

경제 활동의 목적은 죄인된 인류, 사형 선고를 받고 지구 교도소에
서 수감 생활을 하면서 필요한 생활수단의 확보, 이윤 창출, 지배 영역
의 확대라고 할 수 있다. 그래서 경제는 육신적이고 정치적이며 그 영
적 상태를 드러낸다. 죄인된 인간의 생명은 생활수단을 필요로 한다.
사형 선고를 받은 인류의 생명 연장의 꿈은 위에서 본 마태복음 19장
의 부자 청년처럼 영생을 갈망하게 한다.

이를 확보하기 위해 치열한 전쟁을 벌인다. 무한경쟁도 이를 위해
서다. 요구되는 생활수단은 경쟁이 치열할수록 더욱 많아진다. 이를

위해 더 큰 경쟁이 다시 벌어진다. 에덴에서 쫓겨난 아담과 하와에게 주어진 하나님의 저주가 지금도 인류에게 남아 있다. 이 저주 위에 인간들은 더 큰 저주를 서로에게 씌우고 있다. 불평등과 불의의 저주다. 이런 자들은 결코 영생을 얻을 수 없다. 가난한 자들을 저버리고 예수를 좇지 않는 자들은 결코 영생을 얻을 수 없다.

지금 세계를 지배하고 있는, 무한경쟁의 마법사 신자유주의 경제학은 사탄의 경제학이다. 온 땅을 지배할 능력을 줄 것 같은 선악과를 먹도록 유혹하지만 이는 그들이 그토록 원하던 생명 연장의 꿈, 영생을 상실하는 지름길이다. 진화론에 입각한 이들의 논리는 인간 세계와 동물 세계의 근원적 차이를 이해하지 못한 데서 생겨났다. 그 결과가 1, 2차 대전이었고 지금의 이슬람 테러도 여기에서 생겨났다.

너희는 너희 아비 마귀에게서 났으니 너희 아비의 욕심대로 너희도 행하고자 하느니라 그는 처음부터 살인한 자요 진리가 그 속에 없으므로 진리에 서지 못하고 거짓을 말할 때마다 제 것으로 말하나니 이는 그가 거짓말쟁이요 거짓의 아비가 되었음이라 (요8:44)

창세기 3장을 보라.

22 여호와 하나님이 이르시되 보라 이 사람이 선악을 아는 일에 우리 중 하나같이 되었으니 그가 그의 손을 들어 생명나무 열매도 따 먹고 영생할까 하노라 하시고 23 여호와 하나님이 에덴동산에서 그를 내보내어 그의 근원이 된 땅을 갈게 하시니라 24 이같이 하나님이 그 사람을 쫓아내시고 에덴동산 동쪽에 그룹들과 두루 도는 불칼을 두어 생명나무의 길을 지키게 하시니라

신자유주의의 핵심 논리가 무엇인가? 바로 '더 많이 성장하고 더

많이 지배하라. 여기에 짐이 되는 인간들은 도태시켜라.'이다. 그 선두에 서 있는 한 사람의 이야기를 들어보자. 자기 회사의 주주 총회 현장에서 참여연대 사람들을 몰아낸 사람이다. 이들은 예수님 왼편에서 십일조를 자랑하는 사람들이다.

나는 이레에 두 번씩 금식하고 또 소득의 십일조를 드리나이다 하고  세리는 멀리 서서 감히 눈을 들어 하늘을 처다보지도 못하고 다만 가슴을 치며 이르되 하나님이여 불쌍히 여기소서 나는 죄인이로소이다 하였느니라 내가 너희에게 이르노니 이에 저 바리새인이 아니고 이 사람이 의롭다 하심을 받고 그의 집으로 내려갔느니라 무릇 자기를 높이는 자는 낮아지고 자기를 낮추는 자는 높아지리라 하시니라 (누가복음 3장)

다음은 한경뉴스에 나왔던 기사다.

윤종용 삼성전자 부회장은 지난 2일 연세대 강연에서 '우리 경제현실에서는 고성장 지속 → 인프라 확충 및 분배개선 → 삶의 질 개선 → 국가경쟁력 강화 순으로 돌아가는게 선순환'이라고 강조했다. 3일 삼성전자에 따르면 윤 부회장은 이 학교 공대생들을 대상으로 한 강연에서 '경제개혁이나 사회적 약자에 대한 나눔과 배려도 중요하지만 우리 경제현실에서는 무엇을 먼저 해 나가는 것이 나라 전체에 유익한지에 우선순위를 둬야 한다'며 이렇게 말했다.
그는 '부가가치 창출을 위해서는 핵심기술과 핵심부품을 만드는 능력이 가장 중요하다'며 '핵심기술은 돈을 줘도 살 수 없고 기술을 살 수 있는 화폐는 기술뿐'이라고 강조했다.
그는 'GE와 IBM 등 패러다임 변화에 일찌감치 대응한 기업은 고

부가가치 산업에 조기 진입해 강자가 될 수 있었지만 대응에 실패한 기업은 성공한 사업에 안주하다 실패했다'며 '아일랜드의 경우 80년대말까지 최빈국이었으나 디지털 천국을 만든다는 비전을 갖고 노력해 2000년 1인당 GDP에서 800년간 자신들을 지배한 영국을 추월했다'고 전했다.

또 '아날로그에서 디지털로 넘어가는 지금은 도약의 기회'라고 전제하고 '아날로그 시대는 경험이 많을수록, 기술의 축적이 많을수록 경쟁력이 있었기 때문에 후발주자가 선발주자를 따라가기 어려웠지만 디지털 시대는 빠르고 우수한 두뇌와 창의력, 도전이 승부를 결정짓는다'고 말했다.

한국이 메모리 분야에서 일본을 이길 수 있었던 것도 메모리가 아날로그가 아닌 디지털기술이었기 때문에 가능했으며, 남보다 빨리 변화에 대응하면 한국은 세계를 주도할 수 있다고 윤 부회장은 강조했다.

그는 '21세기에는 세계적 경영자를 몇 명 보유하느냐가 국가경쟁력의 원천'이라며 '미래의 씨앗은 기술이고 기술의 핵심은 사람이며, 지금은 한명의 천재가 수 만 명을 먹여 살리는 시대'라고 말했다.

투자유치와 관련, '돈은 이익을 쫓기 때문에 국내에 투자하는 것이 유리하면 기업들은 밖으로 나가지 않을 것이고, 다른 나라보다 안심하고 투자할만한 곳이 되면 외국자본도 자연히 한국을 찾아올 것'이라며 기업여건 개선의 필요성을 거듭 강조했다.

윤 부회장은 '삼성이 몇 년간 일본기업들보다 많은 이익을 내왔고 1~2년 가량은 더 앞서 가겠지만 그 다음은 알 수 없다'며 '우리나라가 당분간은 일본을 따라 잡기 쉽지 않을 것'이라고 내다봤다.

그는 '삼성전자와 같은 세계적인 기업이 늘어날 때 국부가 커지고 일자리도 늘어난다'며 '우리나라는 올해 5% 성장은 가능하겠지만 앞으로는 총력을 다하지 않으면 5% 이상의 성장이 어렵다'고 전망했다.

또 세대 및 계층간 갈등에 대해서는'서로 살아온 경험이나 환경이 다르기 때문에 의식이 다른 것은 당연하지만 문제는 서로의 차이를 인정하지 않고 자신의 경험과 판단만 옳다고 강요하는 데 있다'고 말했다. [ 출처 : 한국경제 2004.6.3 ]

너무 좋은 이야기다. 그래서 사람들은 이 이야기에 넘어간다. 그러나 잘 살펴보면 무서운 이야기임을 알 수 있다. 전체의 파이가 커지는 것도 중요하다. 그러나 더 중요한 것은 배부른 돼지가 아니라 오히려 배고프지만 자유로운 소크라테스의 지위를 확보하는 것이다. 희년의 정신이 여기에 있다. 토지 재분배와 인신 해방을 통해 인간 간의 대등한 관계를 형성시켜 주고자 한다. 윤종용 부회장의 아들이 이건희 회장의 아들 자리로 갈 수 있는 기회는 삼성에 전혀 없다. 민주 사회 속에서 비민주적 현실이다. 이것이 바로 신자유주의의 논리다. 가난한 자들은 좀 더 먹게 되었지만 여전히 그들은 자본가의 종, 노동자로 남아 있을 뿐이다. 마르크스는 이것을 가진 것이 몸뚱이밖에 없는 노동자의 현실로 잘 설명한다.

자본론 '제 6장 노동력의 구매와 판매'를 보자.

화폐가 자본으로 전환되기 위해서는 화폐 소유자는 상품 시장에서 자유로운 노동자를 발견하지 않으면 안 된다. 여기에서 자유롭다는 것은 이중의 의미를 가진다. 즉, 노동자는 자유인으로서 자기의 노동력을 자신의 상품으로서 처분할 수 있다는 의미와, 다른 한편으로는 그는 노동력 이외에는 상품으로서 판매할 다른 어떤 것도 전혀 가지고 있지 않으며, 자기의 노동력의 실현에 필요한 일체의 물건으로부터 분리되어 있다는 의미다.

마르크스는 자본론 '제3절 잉여가치의 자본과 소득으로의 분할. 절제설'에서 다음과 같이 이야기한다.

인격화된 자본으로서만 자본가는 역사적 가치와 역사적 생존권을 가지고 있다. 그런 한에 있어서만 그 자신의 일시적 존재의 필연성은 자본주의적 생산양식의 이행필연성에 포함되는 것이다. 그러나 자본가가 인격화된 자본인 한 그의 활동동기는 사용가치의 획득과 향락이 아니라 교환가치의 획득과 증식이다.

자본가의 일체 행동은 '그를 통하여 의지와 의식을 부여받은' 자본의 기능에 불과한 만큼, 그 자신의 개인적 소비는 그의 자본축적에 대한 약탈로 간주된다. 이것은 마치 복식부기에서 자본가의 사적 지출이 자본의 반대편 '차변'에 기입되는 것과 마찬가지다. 축적은 사회적 부의 세계를 정복하는 것이며 착취당하는 인간의 수를 확대하는 것이며 동시에 자본가의 직접적, 간접적 지배의 영역을 확대하는 것이다. 루터는 고리대금업자들을 교수형에 처해야 한다고 한다. 가난한 사람들의 피를 빨아먹는 자들이므로 강도의 받을 형벌을 받아야 한다고 말한다.(막스는 루터의 기독교 내 불의자들에 대한 비판을 인용한다. 그는 루터를 옹호한다.)

이제 신원하시는 하나님이 어떤 분이신지 누가복음 18장을 통해 살펴보자.

7 하물며 하나님께서 그 밤낮 부르짖는 택하신 자들의 원한을 풀어 주지 아니하시겠느냐 그들에게 오래 참으시겠느냐 8 내가 너희에게 이르노니 속히 그 원한을 풀어 주시리라 그러나 인자가 올 때에 세상에서 믿음을 보겠느냐 하시니라 (누가복음 18장)

한 소녀 가장의 죽음에 대한 기사를 읽어보자

"차라리 고아로 태어났으면 좋았을 걸…차라리 거리의 풀 한 포기로 태어났으면 좋으련만…차라리 바람에 휘날리는 모래 한 줌으로 태어났으면 좋으련만…."

6~7평 남짓한 작은 슬레이트 집. 누우면 발이 닿을 듯한 비좁은 안방. 창문도 없어 늘 어둡고 침침한 공부방. 이곳에서 거동이 불편한 홀어머니를 모시고 어린 두 동생과 살아야 했던 15세 소녀가장 鄭모(15.평택 H중 3년)양에게 가난은 너무도 견디기 힘들었다.

문학소녀를 꿈꾸던 鄭양은 지난달 22일 오후 경기도 평택시 통복동 자신의 집에서 목을 매 스스로 목숨을 끊었다. 옆에는 평소 소중하게 아끼던 일기장이 놓여 있었다.

"나는 아버지가 안 계신 소녀가장이다. 고등학교 입학금조차 없는 가난한 집의 둘째 딸. 이런 나에게 미래가 있을까…." "일본어도 컴퓨터도, 음악과 기타도 배우고 싶다."

"사랑하는 엄마, 죽는 생각 자체가 불효라는 것 알아. 하지만 내가 없어지는 것이 돈이 덜 나가 다행일지도 몰라." "내 소원은 내가 운전하는 차에 엄마 태우고 드라이브하는 거였어."

죽음을 선택하기 보름 전부터 빽빽이 적은 일기장에는 지독한 가난 속에서 삶에 애착을 가지면서도 자신의 꿈을 펼칠 수 없는 절망감이 그대로 드러나 있었다. 그러면서 鄭양은 "나를 알게 되면 (친구들이) 도망갈지도 모른다는 생각에 나를 감싸고 상품처럼 만들어 버렸지"라며 자신의 불우한 처지가 친구들에게 알려질까 봐 괴로워했다.

鄭양이 소녀가장이 된 것은 6년 전인 초등학교 3년 무렵. 밖으로 겉도는 아버지를 대신해 어머니가 고물상, 연탄배달, 식당종업원, 막노동을 하며 겨우 겨우 생계를 잇던 중 1998년 어머니마저 뇌종양으로 쓰러지면서부터였다. 아버지는 노숙자로 전전하다 2년 전 지병으로 숨졌다. 이후 가족들은 정부에서 나오는 생계보조비 월 70만원으로 생활해 왔다. 그러나 어머니 병세가 갈수록 악화돼 치료비로 4000만 원 가량 빚을 지면서 지난해부터는 아예 병원치료를 포기했다. 딸의 마지막 날에도 어머니는 돈을 빌리기 위해 목발을 짚고 이곳저곳 헤매다 밤늦게 집으로 돌아와 딸의 죽음을 막지 못했다.

"집안에 화장실이 없어 밖에 있는 재래식 공동화장실을 사용하는데 딸이 추운 겨울이나 한밤중에 무서워 가지 못할 때는 마음이 미어졌습니다." 어머니는 "학교에서 돌아오면 아무런 군말 없이 온갖 집안일과 동생들을 돌보는 착한 딸이자 실질적인 가장이었다"고 말했다. 담임교사 류호석 씨도 "평소 명랑하고 성격이 적극적이어서 친구들과 잘 어울리고 성적도 상위권이었다"고 안타까워했다.

죽기 직전 두 동생과 어머니를 위해 밥을 가득 지어놓은 鄭양의 유해는 주변의 도움으로 지난달 25일 넓고 편안한 곳에서 행복하게 살라는 뜻으로 서해바다에 뿌려졌다.

鄭양이 다니던 학교 교사와 학생들은 3000여 만 원을 모아 현재 보증금 200만 원, 월세 20만 원짜리 집에 살고 있는 가족에게 조

그만 전셋집을 마련해줄 계획이다. [ 2004. 4. 2. 중앙일보 엄태민 ]

영생과 영벌이 어떻게 주어지는지 마태복음 25장 말씀을 보자.

41 또 왼편에 있는 자들에게 이르시되 저주를 받은 자들아 나를 떠나 마귀와 그 사자들을 위하여 예비된 영원한 불에 들어가라 42 내가 주릴 때에 너희가 먹을 것을 주지 아니하였고 목마를 때에 마시게 하지 아니하였고 43 나그네 되었을 때에 영접하지 아니하였고 헐벗었을 때에 옷 입히지 아니하였고 병들었을 때와 옥에 갇혔을 때에 돌보지 아니하였느니라 하시니 44 그들도 대답하여 이르되 주여 우리가 어느 때에 주께서 주리신 것이나 목마르신 것이나 나그네 되신 것이나 헐벗으신 것이나 병드신 것이나 옥에 갇히신 것을 보고 공양하지 아니하더이까 45 이에 임금이 대답하여 이르시되 내가 진실로 너희에게 이르노니 이 지극히 작은 자 하나에게 하지 아니한 것이 곧 내게 하지 아니한 것이니라 하시리니 46 그들은 영벌에, 의인들은 영생에 들어가리라 하시니라

윤종용 부회장은 위에서 보았듯이 '경제 개혁이나 사회적 약자에 대한 나눔과 배려도 중요하지만 우리 경제현실에서는 무엇을 먼저 해 나가는 것이 나라 전체에 유익한 지에 우선순위를 둬야 한다'고 말했다. 죽은 뒤에 그가 어디로 갈 것인지 예측이 된다.

왜 붉은 악마는 2002 월드컵 대회에서 대한민국의 축구팀이 이탈리아의 축구팀을 이기기를 그토록 소망했는가? 또 이탈리아의 비에리 선수는 왜 한국 선수를 가격했는가? 또 베트남 전에서 안정환 선수는 공을 차는 베트남 선수의 발에 자신의 뒤꿈치를 대는 비신사적 행

위를 했는가? 왜 대한민국의 경제가 다른 나라의 경제를 압도해야 하는가? 이 모든 것이 하나님의 나라와 하나님의 의와 무슨 상관이 있는가?

하박국 3장 말씀을 보자.

14 그들이 회리바람처럼 이르러 나를 흩으려 하며 가만히 가난한 자 삼기기를 즐거워하나 오직 주께서 그들의 전사의 머리를 그들의 창으로 찌르셨나이다 15 주께서 말을 타시고 바다 곧 큰 물의 파도를 밟으셨나이다 16 내가 들었으므로 내 창자가 흔들렸고 그 목소리로 인하여 내 입술이 떨렸도다 무리가 우리를 치러 올라오는 환난날을 내가 기다리므로 내 뼈에 썩이는 것이 들어 왔으며 내 몸은 내 처소에서 떨리는도다 17 비록 무화과나무가 무성치 못하며 포도나무에 열매가 없으며 감람나무에 소출이 없으며 밭에 식물이 없으며 우리에 양이 없으며 외양간에 소가 없을찌라도 18 나는 여호와를 인하여 즐거워하며 나의 구원의 하나님을 인하여 기뻐하리로다 19 주 여호와는 나의 힘이시라 나의 발을 사슴과 같게 하사 나로 나의 높은 곳에 다니게 하시리로다 이 노래는 영장을 위하여 내 수금에 맞춘 것이니라

하박국은 사람의 소유가 넉넉한 데 그 생명이 있지 아니하다는 주님의 말씀을 증명하고 있다. 현대 경제학은 이를 전혀 이해할 수 없다. 지혜롭다고 하는 자들에게는 감추시고 어린아이에게 이를 보여주신 하나님의 은혜다.

누가복음 16장 말씀을 보자.

19 한 부자가 있어 자색 옷과 고운 베옷을 입고 날마다 호화롭게 즐기더라 20 그런데 나사로라 이름하는 한 거지가 헌데 투성이로 그의 대문 앞에 버려진 채 21 그 부자의 상에서 떨어지는 것으로 배불리려 하매 심지어 개들이 와서 그 헌데를 핥더라 22 이에 그 거지가 죽어 천사들에게 받들려 아브라함의 품에 들어가고 부자도 죽어 장사되매 23 그가 음부에서 고통 중에 눈을 들어 멀리 아브라함과 그의 품에 있는 나사로를 보고 24 불러 이르되 아버지 아브라함이여 나를 긍휼히 여기사 나사로를 보내어 그 손가락 끝에 물을 찍어 내 혀를 서늘하게 하소서 내가 이 불꽃 가운데서 괴로워하나이다 25 아브라함이 이르되 얘 너는 살았을 때에 좋은 것을 받았고 나사로는 고난을 받았으니 이것을 기억하라 이제 그는 여기서 위로를 받고 너는 괴로움을 받느니라 26 그뿐 아니라 너희와 우리 사이에 큰 구렁텅이가 놓여 있어 여기서 너희에게 건너가고자 하되 갈 수 없고 거기서 우리에게 건너올 수도 없게 하였느니라 27 이르되 그러면 아버지여 구하노니 나사로를 내 아버지의 집에 보내소서 28 내 형제 다섯이 있으니 그들에게 증언하게 하여 그들로 이 고통 받는 곳에 오지 않게 하소서 29 아브라함이 이르되 그들에게 모세와 선지자들이 있으니 그들에게 들을지니라 30 이르되 그렇지 아니하니이다 아버지 아브라함이여 만일 죽은 자에게서 그들에게 가는 자가 있으면 회개하리이다 31 이르되 모세와 선지자들에게 듣지 아니하면 비록 죽은 자 가운데서 살아나는 자가 있을지라도 권함을 받지 아니하리라 하였다 하시니라

우리는 권하지만 부자들이 이 말을 들을 가능성은 높지 아니하니, 그들이 진정 원하는 웰빙, 불로장수는 물 건너 간 일임에 우리는 타워펠리스를 향해, 예수님이 예루살렘을 바라보시면서 우셨던 것처럼 울지 않을 수 없다.

에스겔 33장을 읽어 보자.

11 주 여호와의 말씀에 나의 삶을 두고 맹세하노니 나는 악인의 죽는 것을 기뻐하지 아니하고 악인이 그 길에서 돌이켜 떠나서 사는 것을 기뻐하노라 이스라엘 족속아 돌이키고 돌이키라 너희 악한 길에서 떠나라 어찌 죽고자 하느냐 하셨다 하라

이 시대에 강도 만난 자들을 살리는 것이 바로 영생을 얻는 길이다. 무한경쟁의 구도에서 강도 만난 자들을 돌보는 것이 바로 영생을 얻는 길로 이어진다.

누가복음 10장 말씀을 보자.

25 어떤 율법사가 일어나 예수를 시험하여 가로되 선생님 내가 무엇을 하여야 영생을 얻으리이까 26 예수께서 이르시되 율법에 무엇이라 기록되었으며 네가 어떻게 읽느냐 27 대답하여 가로되 네 마음을 다하며 목숨을 다하며 힘을 다하며 뜻을 다하여 주 너의 하나님을 사랑하고 또한 네 이웃을 네 몸과 같이 사랑하라 하였나이다 28 예수께서 이르시되 네 대답이 옳도다 이를 행하라 그러면 살리라 하시니 29 이 사람이 자기를 옳게 보이려고 예수께 여짜오되 그러면 내 이웃이 누구오니이까 30 예수께서 대답하여 가라사대 어떤 사람이 예루살렘에서 여리고로 내려가다가 강도를 만나매 강도들이 그 옷을 벗기고 때려 거반 죽은 것을 버리고 갔더라 31 마침 한 제사장이 그 길로 내려가다가 그를 보고 피하여 지나가고 32 또 이와 같이 한 레위 인도 그곳에 이르러 그를 보고 피하여 지나가되 33 어떤 사마리아 인은 여행하는 중 거기 이르러 그를 보고 불쌍히 여겨 34 가까이 가서 기름과 포도주를 그 상처에 붓고 싸매고 자기 짐승에 태워

주막으로 데리고 가서 돌보아 주고 35 이튿날에 데나리온 둘을 내어 주막 주인에게 주며 가로되 이 사람을 돌보아 주라 부비가 더 들면 내가 돌아올 때에 갚으리라 하였으니 36 네 의견에는 이 세 사람 중에 누가 강도 만난 자의 이웃이 되겠느냐 37 가로되 자비를 베푼 자니이다 예수께서 이르시되 가서 너도 이와 같이 하라 하시니라

생명 연장의 꿈을 가지고 온 땅에 홀로 거하려 하는 자들의 필경이 어떻게 될까? 마태복음 10장을 보자.

39 자기 목숨을 얻는 자는 잃을 것이요 나를 위하여 자기 목숨을 잃는 자는 얻으리라

좀더 성장하면 나누자는 말을 믿고 가난한 사람들은 여태껏 속아왔다. 불의한 부자들은 언제라도, 악덕한 자본가들은 언제라도 '좀더 성장해서 나누자'라는 말을 사탄처럼 지껄여왔다. 언제까지 이들의 말장난에 속을 것인가? 대한민국 역사상 가장 큰 부가 축적된 이 때, 이토록 많은 사람들이 경제적 이유로 자살한 적이 없다.

우주의
100%
소유권
최대주주
하나님

· 3장 ·

# 우주의 100% 소유권
# 최대주주 하나님

자본주의 사회에서 '몫의 논쟁'이 심각하다. 그럼 자본주의의 꽃이라 불리우는 증권거래에 관한 5% 룰 이야기부터 시작해보자. 대한민국의 증권 거래법에 대량보유보고 등에 대한 보고와 관련하여 다음과 같은 조항이 있다.

**제200조의2 (주식의 대량보유등의 보고) [본조신설 1991.12.31]**
① 주권상장법인 또는 코스닥상장법인의 주식 등을 대량보유(본인과 그 특별관계자가 보유하게 되는 주식 등의 수의 합계가 당해 주식 등의 총수의 100분의 5이상인 경우를 말한다)하게 된 자(대통령령이 정하는 자를 제외한다)는 그날부터 5일(대통령령이 정하는 날은 산입하지 아니한다. 이하 이 항에서 같다)이내에 그 보유상황을 대통령령이 정하는 바에 따라 금융감독위

원회와 거래소(코스닥상장법인의 경우에는 협회를 말한다. 이하 이 조에서 같다)에 보고하여야 하며, 그 보유주식비율이 당해 법인의 주식 등의 총수의 100분의 1의 비율이상 변동된 경우(대통령령이 정하는 경우를 제외한다)에는 그 변동이 있은 날부터 5일 이내에 그 변동내용을 대통령령이 정하는 바에 따라 금융감독위원회와 거래소에 보고하여야 한다. 다만, 대통령령이 정하는 기관투자자등에 대하여는 대통령령으로 그 보고시기 및 보고내용 등을 따로 정할 수 있다.
〈개정 1994.1.5, 1997.1.13, 1998.1.8, 1998.5.25, 2000.1.21, 2004.1.29〉

이제 소수 주주권의 행사에 대해서도 알아보자. 동법에 다음과 같은 조항이 있다.

### 제191조의13(소수주주권의 행사〈개정 1999.2.1〉)[전문개정 1998.2.24]

①6월전부터 계속하여 주권상장법인 또는 코스닥상장법인의 발행주식총수의 1만분의 1이상에 해당하는 주식을 대통령령이 정하는 바에 의하여 보유한 자는 상법 제403조(상법 제324조, 제415조, 제424조의2, 제467조의2 및 제542조에서 준용하는 경우를 포함한다)에서 규정하는 주주의 권리를 행사할 수 있다.
〈개정 1998.5.25, 1999.2.1, 2004.1.29〉
② 6월전부터 계속하여 주권상장법인 또는 코스닥상장법인의 발행주식총수의 10만분의 50(대통령령이 정하는 법인의 경우에는 10만분의 25) 이상에 해당하는 주식을 대통령령이 정하는 바에 의하여 보유한 자는 상법 제402조에서 규정하는 주주의 권리를 행사할 수 있다.

〈개정 2001.3.28, 2004.1.29〉

③ 6월전부터 계속하여 주권상장법인 또는 코스닥상장법인의 발행주식총수의 1만분의 10(대통령령이 정하는 법인의 경우에는 1만분의 5) 이상에 해당하는 주식을 대통령령이 정하는 바에 의하여 보유한 자는 상법 제466조에서 규정하는 주주의 권리를 행사할 수 있다.

〈개정 1999.2.1, 2001.3.28, 2004.1.29〉

④ 6월전부터 계속하여 주권상장법인 또는 코스닥상장법인의 발행주식총수의 1만분의 50(대통령령이 정하는 법인의 경우에는 1만분의 25) 이상에 해당하는 주식을 대통령령이 정하는 바에 의하여 보유한 자는 상법 제385조(상법 제415조에서 준용하는 경우를 포함한다) 및 제539조에서 규정하는 주주의 권리를 행사할 수 있다.

〈신설 2001.3.28, 2004.1.29〉

⑤ 6월전부터 계속하여 주권상장법인 또는 코스닥상장법인의 발행주식총수의 1천분의 30(대통령령이 정하는 법인의 경우에는 1천분의 15)이상에 해당하는 주식을 대통령령이 정하는 바에 의하여 보유한 자는 상법 제366조 및 제467조에서 규정하는 주주의 권리를 행사할 수 있다. 이 경우 상법 제366조에서 규정하는 주주의 권리를 행사할 때에는 의결권있는 주식을 기준으로 한다.

〈개정 1999.2.1, 2004.1.29〉

주주 제안에 관한 법 조항도 있다. 제 191 조를 보자.

### 제191조의14 (주주제안〈개정 1999.2.1〉) [본조신설 1997.1.13]

① 6월전부터 계속하여 주권상장법인 또는 코스닥상장법인의

의결권있는 발행주식총수의 1천분의 10(대통령령이 정하는 법인의 경우에는 1천분의 5)이상에 해당하는 주식을 대통령령이 정하는 바에 의하여 보유한 자는 이사에 대하여 대통령령이 정하는 바에 따라 일정한 사항을 주주총회의 목적사항으로 할 것을 제안(이하 "주주제안"이라 한다)할 수 있다.
〈개정 1999.2.1, 2004.1.29〉
② 제1항의 규정에 의하여 주주제안을 하는 자는 대통령령이 정하는 바에 따라 주주총회의 목적으로 할 사항에 추가하여 그가 제출하는 의안의 요령을 상법 제363조의 규정에 의한 통지와 공고에 기재할 것을 이사에게 청구할 수 있다.
〈신설 2000.1.21〉
③ 이사회는 주주제안의 내용이 법령 또는 정관에 위반되는 경우 기타 대통령령이 정하는 경우를 제외하고는 이를 주주총회의 목적사항으로 상정하여야 하며, 주주제안한 자의 요청이 있는 경우에는 주주총회에서 당해 의안을 설명할 수 있는 기회를 주어야 한다.

자본주의 회사에서 최고의사결정기관은 당연 주주총회다. 이 주주총회의 결의에 관한 조항을 상법에서 살펴보자.

### 제368조 (총회의 결의방법과 의결권의 행사)

① 총회의 결의는 이 법 또는 정관에 다른 정함이 있는 경우를 제외하고는 출석한 주주의 의결권의 과반수와 발행주식총수의 4분의 1이상의 수로써 하여야 한다.
〈改正 1995.12.29〉
② 무기명식의 주권을 가진 자는 회일의 1주간전에 그 주권을 회사에 공탁하여야 한다.

③ 주주는 대리인으로 하여금 그 의결권을 행사하게 할 수 있다. 이 경우에는 그 대리인은 대리권을 증명하는 서면을 총회에 제출하여야 한다.
④ 총회의 결의에 관하여 특별한 이해관계가 있는 자는 의결권을 행사하지 못한다.

더욱 중요한 사항일수록 주주 총회의 결의에 관한 규정도 강화된다. 동법을 보자.

### 제433조 (정관변경의 방법)

① 정관의 변경은 주주총회의 결의에 의하여야 한다.
② 정관의 변경에 관한 의안의 요령은 제363조의 규정에 의한 통지와 공고에 기재하여야 한다.
제434조 (정관변경의 특별결의) 제433조 제1항의 결의는 출석한 주주의 결의권의 3분의 2이상의 수와 발행주식총수의 3분의 1이상의 수로써 하여야 한다. [ 전문개정 1995.12.29]

우리가 목도하듯이 자본주의 각 주체들의 몫의 논쟁이 심각한데 이 지구를 자본주의자들, 시장경제론자들이 그토록 좋아하는 주식회사로 본다면 최대 주주는 누구인가? 당연히 하나님이시다. 하나님께서는 발행주식총수의 100%를 소유하고 계시다. 성경의 창세기부터 요한계시록까지 이를 증거하고 있다.

- 천지와 만물이 다 이루니라 (창 2:1)
- 하늘과 모든 하늘의 하늘과 땅과 그 위의 만물은 본래 네 하나님 여호와께 속한 것이로되 (신 10:14)

- 오직 주는 여호와시라 하늘과 하늘들의 하늘과 일월 성신과 땅과 땅 위의 만물과 바다와 그 가운데 모든 것을 지으시고 다 보존하시오니 모든 천군이 주께 경배하나이다 (느 9:6)
- 주의 손으로 만드신 것을 다스리게 하시고 만물을 그 발 아래 두셨으니 (시 8:6)
- 천지가 주의 규례대로 오늘까지 있음은 만물이 주의 종이 된 연고니이다 (시 119:91)
- 여호와는 천지와 바다와 그 중의 만물을 지으시며 영원히 진실함을 지키시며 (시 146:6)
- 네 구속자요 모태에서 너를 조성한 나 여호와가 말하노라 나는 만물을 지은 여호와라 나와 함께한 자 없이 홀로 하늘을 폈으며 땅을 베풀었고 (사 44:24)
- 야곱의 분깃은 이 같지 아니하시니 그는 만물의 조성자요 이스라엘은 그 산업의 지파라 그 이름은 만군의 여호와시니라 (렘 10:16)
- 야곱의 분깃은 이 같지 아니하시니 그는 만물의 조성자요 이스라엘은 그 산업의 지파라 그 이름은 만군의 여호와시니라 (렘 51:19)
- 만물이 그로 말미암아 지은바 되었으니 지은 것이 하나도 그가 없이는 된 것이 없느니라 (요 1:3 )
- 위로부터 오시는 이는 만물 위에 계시고 땅에서 난 이는 땅에 속하여 땅에 속한 것을 말하느니라 하늘로서 오시는 이는 만물 위에 계시나니 (요 3:31)
- 아버지께서 아들을 사랑하사 만물을 다 그 손에 주셨으니 (요 3:35)
- 또 무엇이 부족한 것처럼 사람의 손으로 섬김을 받으시는 것이 아니니 이는 만민에게 생명과 호흡과 만물을 친히 주시는 자이심이라 (행 17:25)
- 조상들도 저희 것이요 육신으로 하면 그리스도가 저희에게서 나셨으니 저는 만물 위에 계셔 세세에 찬양을 받으실 하나님이시니라 아멘 (롬 9:5)
- 이는 만물이 주에게서 나오고 주로 말미암고 주에게로 돌아감이라 영광이 그에게 세세에 있으리로다 아멘 (롬 11:36)

- 그러나 우리에게는 한 하나님 곧 아버지가 계시니 만물이 그에게서 났고 우리도 그를 위하며 또한 한 주 예수 그리스도께서 계시니 만물이 그로 말미암고 우리도 그로 말미암았느니라 (고전 8:6)
- 만물을 저의 발아래 두셨다 하셨으니 만물을 아래 둔다 말씀하실 때에 만물을 저의 아래 두신 이가 그 중에 들지 아니한 것이 분명하도다 (고전 15:27)
- 만물을 저에게 복종하게 하신 때에는 아들 자신도 그 때에 만물을 자기에게 복종케 하신 이에게 복종케 되리니 이는 하나님이 만유의 주로서 만유 안에 게시려 하심이라 (고전 15:28)
  또 만물을 그 발 아래 복종하게 하시고 그를 만물 위에 교회의 머리
- 로 주셨느니라 (엡 1:22)
- 교회는 그의 몸이니 만물 안에서 만물을 충만케 하시는 자의 충만이니라 (엡 1:23)
- 영원부터 만물을 창조하신 하나님 속에 감취었던 비밀의 경륜이 어떠한 것을 드러내게 하려 하심이라 (엡 3:9)
- 내리셨던 그가 곧 모든 하늘 위에 오르신 자니 이는 만물을 충만케 하려 하심이니라 (엡 4:10 )
- 그가 만물을 자기에게 복종케 하실 수 있는 자의 역사로 우리의 낮은 몸을 자기 영광의 몸의 형체와 같이 변케 하시리라 (빌 3:21)
- 만물이 그에게 창조되되 하늘과 땅에서 보이는 것들과 보이지 않는 것들과 혹은 보좌들이나 주관들이나 정사들이나 권세들이나 만물이 다 그로 말미암고 그를 위하여 창조되었고 (골 1:16)
- 또한 그가 만물보다 먼저 계시고 만물이 그 안에 함께 섰느니라 (골 1:17)
- 그는 몸인 교회의 머리라 그가 근본이요 죽은 자들 가운데서 먼저 나신 자니 이는 친히 만물의 으뜸이 되려 하심이요 (골 1:18)
- 그의 십자가의 피로 화평을 이루사 만물 곧 땅에 있는 것들이나 하늘에 있는 것들을 그로 말미암아 자기와 화목케 되기를 기뻐하심이라 (골 1:20)

- 만물을 살게 하신 하나님 앞과 본디오 빌라도를 향하여 선한 증거로 증거하신 그리스도 예수 앞에서 내가 너를 명하노니 (딤전 6:13)
- 이는 하나님의 영광의 광채시요 그 본체의 형상이시라 그의 능력의 말씀으로 만물을 붙드시며 죄를 정결케 하는 일을 하시고 높은 곳에 계신 위엄의 우편에 앉으셨느니라 (히 1:3)
- 만물을 그 발 아래 복종케 하셨느니라 하였으니 만물로 저에게 복종 케 하셨은즉 복종치 않은 것이 하나도 없으나 지금 우리가 만물이 아 직 저에게 복종한 것을 보지 못하고 (히 2:8)
- 만물이 인하고 만물이 말미암은 자에게는 많은 아들을 이끌어 영광 에 들어가게 하시는 일에 저희 구원의 주를 고난으로 말미암아 온전 케 하심이 합당하도다 (히 2:10)
- 집마다 지은 이가 있으니 만물을 지으신 이는 하나님이시라 (히 3:4)
- 지으신 것이 하나라도 그 앞에 나타나지 않음이 없고 오직 만물이 우 리를 상관하시는 자의 눈앞에 벌거벗은 것 같이 드러나느니라 (히 4:13)
- 만물의 마지막이 가까왔으니 그러므로 너희는 정신을 차리고 근신하 여 기도하라 (벧전 4:7)
- 가로되 주의 강림하신다는 약속이 어디 있느뇨 조상들이 잔 후로부 터 만물이 처음 창조할 때와 같이 그냥 있다 하니 (벧후 3:4)
- 우리 주 하나님이여 영광과 존귀와 능력을 받으시는 것이 합당하오 니 주께서 만물을 지으신지라 만물이 주의 뜻대로 있었고 또 지으심 을 받았나이다 하더라 (계 4:11)
- 내가 또 들으니 하늘 위에와 땅 위에와 땅 아래와 바다 위에와 또 그 가운데 모든 만물이 가로되 보좌에 앉으신 이와 어린 양에게 찬송과 존귀와 영광과 능력을 세세토록 돌릴찌어다 하니 (계 5:13)
- 보좌에 앉으신 이가 가라사대 보라 내가 만물을 새롭게 하노라 하시 고 또 가라사대 이 말은 신실하고 참되니 기록하라 하시고 (계 21:5)

지금의 몫의 논쟁은 마치 주식의 100%를 소유하신 예수님 앞에 와서 재물 분배를 요청한 형제들의 논쟁과 같다. 지주, 노동자, 자본가가 서로 자기 몫을 더 요구한다. 이도 저도 아닌 탈락자들은 아예 이 대열에 끼지도 못한다. 자신의 아들을 빼앗긴 여인처럼 불쌍하게 솔로몬 앞에 서 있다. 때론 기독인이라고 자처하는 어떤 사람들에 의해서도 이들은 도덕적 해이를 유발하는 사람들로 비판받는다. '부자들은 점증하는 조세 부담을 감당해야 했고, 가난한 사람들의 복지 의존은 가난과 범죄와 반사회적 행위를 심화시켰기 때문이다.' (전강수 한동근 공저, 토지를 중심으로 본 성경적 경제학, pp.163-164)

이제 우리는 모든 논의에 앞서 바로 최대주주가 하나님이시라는 전제를 현대 경제학이 간과하고 있음을 알아야 한다. 모든 논쟁이 잘못된 방향으로 가는 이유가 바로 여기에 있다. 욥과 세 친구의 논쟁처럼.

욥기 42장을 보자.

7 여호와께서 욥에게 이 말씀을 하신 후에 여호와께서 데만 사람 엘리바스에게 이르시되 내가 너와 네 두 친구에게 노하나니 이는 너희가 나를 가리켜 말한 것이 내 종 욥의 말 같이 옳지 못함이니라 8 그런즉 너희는 수소 일곱과 숫양 일곱을 가지고 내 종 욥에게 가서 너희를 위하여 번제를 드리라 내 종 욥이 너희를 위하여 기도할 것인즉 내가 그를 기쁘게 받으리니 너희가 우매한 만큼 너희에게 갚지 아니하리라 이는 너희가 나를 가리켜 말한 것이 내 종 욥의 말 같이 옳지 못함이라 9 이에 데만 사람 엘리바스와 수아 사람 빌닷과 나아마 사람 소발이 가서 여호와께서 자기들에게 명령하신 대로 행하니라 여호와께서 욥을 기쁘게 받으셨더라

위의 말씀을 통해 모든 것이 하나님으로부터 왔음을 알 수 있다. 자본주의식으로 표현한다면 하나님이 최대주주이시다. 사람은 그저 소액주주일 뿐이며, 이를 다 합쳐도 5%를 넘지 못한다. 주주 제안권 정도를 가지고 있을 뿐이다. 5%를 넘지 못하니 '보고 의무'도 없는 사람들이다. 창세기의 만물만이 아니라 요한계시록의 만물까지 모두 하나님의 것이니 현대 자본주의의 산물도 다 하나님의 장중에서 벗어날 수 없음은 당연하다. 이를 믿지 아니하는 자들이 무어라 말할지라도 필연은 필연이다. 그래서 우리에겐 믿음이 필요하다.

# IV

# 생산의
# 1大 요소
# 3小 요소

## · 4장 ·
# 생산의 1大 요소 3小 요소

생산의 진정한 요소는 무엇인가? 토지, 노동, 자본인가? 경영인가? 바로 이 점을 오해하고 있기 때문에 현대 경제학이 오류를 범하고 있다. 이는 잉여가치의 창출자로서 노동자의 노동을 강조하는 마르크스 경제학이나, 이윤의 원천으로서 자본가와 그 경영을 중시하는 신자유주의 경제학이나, 고전 경제학이나, 심지어 토지 공유를 외치는 자유 사회주의 경제학도 노동과 자본을 개인의 것으로 보고 하나님의 소유권과 하나님의 지속적 노동을 인정하지 않는다는 점에서 마찬가지다. 기독인들조차도 교회에서의 이야기와 학문의 영역에서의 이야기가 다르다.

요한복음 5장을 보자. 하나님이 지금도 일하고 계시는 분이심을 예수님은 증거하고 계신다.

16 그러므로 안식일에 이러한 일을 행하신다 하여 유대인들이 예수를 핍박하게 된 지라 17 예수께서 저희에게 이르시되 내 아버지께서 이제까지 일하시니 나도 일한다 하시매

토지, 노동, 자본 등의 기원을 살펴보자. 창세기 1장의 다음 절들을 보자.

11 하나님이 이르시되 땅은 풀과 씨 맺는 채소와 각기 종류대로 씨 가진 열매 맺는 나무를 내라 하시니 그대로 되어 12 땅이 풀과 각기 종류대로 씨 맺는 채소와 각기 종류대로 씨 가진 열매 맺는 나무를 내니 하나님이 보시기에 좋았더라

토지 창조에 관한 말씀인데 토지의 주인이 하나님이심을 알 수 있다. 노동자도 창조하셨다. 같은 창세기 1장이다.

27 하나님이 자기 형상 곧 하나님의 형상대로 사람을 창조하시되 남자와 여자를 창조하시고 28 하나님이 그들에게 복을 주시며 하나님이 그들에게 이르시되 생육하고 번성하여 땅에 충만하라, 땅을 정복하라, 바다의 물고기와 하늘의 새와 땅에 움직이는 모든 생물을 다스리라 하시니라

그리고 그들이 경영할 자본도 허락하셨다. 창세기 2장이다.

10 강이 에덴에서 흘러 나와 동산을 적시고 거기서부터 갈라져 네 근원이 되었으니 11 첫째의 이름은 비손이라 금이 있는 하윌라 온 땅을 둘렀으며 12 그 땅의 금은 순금이요 그 곳에는 베델리엄과 호마노도 있으며 13 둘째 강의 이름은 기혼이라 구스 온 땅을 둘렀고

14 셋째 강의 이름은 힛데겔이라 앗수르 동쪽으로 흘렀으며 넷째 강
은 유브라데더라 15 여호와 하나님이 그 사람을 이끌어 에덴 동산에
두어 그것을 경작하며 지키게 하시고 16 여호와 하나님이 그 사람
에게 명하여 이르시되 동산 각종 나무의 열매는 네가 임의로 먹
되

아마도 아담은 각종 나무 조각들을 이용하여 쟁기도 만들었을 것
이고 금 등 금속물도 이용했을 것이다. 이렇게 모든 것이 풍족했던 최
초의 인간 아담이 더 원했던 것은 무엇이었을까?

선악을 알게 하는 나무의 열매는 먹지 말라 네가 먹는 날에는 반드
시 죽으리라 하시니라 (창 2:17)

생산은 토지, 노동, 자본을 통해 기계적으로 나오는 것이 아니다.
하나님의 복이 생산의 1대 요소다. 나머지는 부수적 요소에 지나지
않는다. 하나님은 자연이 아니며, 생산 현장에서 토지, 노동, 자본에
영향을 미치시는 살아계신 주님이시다. 그 예를 보자.
아담이 선악과를 먹은 후 토지의 질이 변화한다. 노동 생산성도 현
저히 저하되며, 마르크스가 말하는 잉여가치의 원천인 노동 시간이
생명 단축으로 인해 원천적으로 축소된다. 노동자 생산을 담당한 여
인들이 받는 고통을 보라. 당연히 자본 축적도 힘들게 된다. 창세기 3
장을 보자.

16 또 여자에게 이르시되 내가 네게 임신하는 고통을 크게 더하리니
네가 수고하고 자식을 낳을 것이며 너는 남편을 원하고 남편은 너를
다스릴 것이니라 하시고 17 아담에게 이르시되 네가 네 아내의 말을

들고 내가 네게 먹지 말라 한 나무의 열매를 먹었은즉 땅은 너로 말
미암아 저주를 받고 너는 네 평생에 수고하여야 그 소산을 먹으리라
18 땅이 네게 가시덤불과 엉겅퀴를 낼 것이라 네가 먹을 것은 밭의
채소인즉 19 네가 흙으로 돌아갈 때까지 얼굴에 땀을 흘려야 먹을
것을 먹으리니 네가 그것에서 취함을 입었음이라 너는 흙이니 흙으
로 돌아갈 것이니라 하시니라

또 다른 생산 현장을 찾아가 보자. 야곱과 라반에 관한 이야기다.
창세기 31장이다.

5 그들에게 이르되 내가 그대들의 아버지의 안색을 본즉 내게 대하
여 전과 같지 아니하도다 그러할찌라도 내 아버지의 하나님은 나와
함께 계셨느니라 6 그대들도 알거니와 내가 힘을 다하여 그대들의
아버지를 섬겼거늘 7 그대들의 아버지가 나를 속여 품삯을 열 번이
나 변역하였느니라 그러나 하나님이 그를 금하사 나를 해치 못하게
하셨으며 8 그가 이르기를 점 있는 것이 네 삯이 되리라 하면 온 양
떼의 낳은 것이 점 있는 것이요 또 얼룩무늬 있는 것이 네 삯이 되리
라 하면 온 양떼의 낳은 것이 얼룩무늬 있는 것이니 9 하나님이 이같
이 그대들의 아버지의 짐승을 빼앗아 내게 주셨느니라 10 그 양떼가
새끼 밸 때에 내가 꿈에 눈을 들어 보니 양떼를 탄 수양은 다 얼룩무
늬 있는 것, 점 있는 것, 아롱진 것이었더라 11 꿈에 하나님의 사자가
내게 말씀하시기를 야곱아 하기로 내가 대답하기를 여기 있나이다
하매 12 가라사대 네 눈을 들어 보라 양떼를 탄 수양은 다 얼룩무늬
있는 것, 점 있는 것, 아롱진 것이니라 라반이 네게 행한 모든 것을
내가 보았노라

이 양들이 생산을 위해 사용된다면 자본이라 할 수 있다. 하나님은

자본 축적에 직접적으로 개입하셨던 것이다. 노동력 생산에 영향을 미치시는 하나님의 일을 살펴보자. 창세기 30장이다.

1 라헬이 자기가 야곱에게 아들을 낳지 못함을 보고 그 형을 투기하여 야곱에게 이르되 나로 자식을 낳게 하라 그렇지 아니하면 내가 죽겠노라 2 야곱이 라헬에게 노를 발하여 가로되 그대로 성태치 못하게 하시는 이는 하나님이시니 내가 하나님을 대신하겠느냐 3 라헬이 가로되 나의 여종 빌하에게로 들어가라 그가 아들을 낳아 내 무릎에 두리니 그러면 나도 그를 인하여 자식을 얻겠노라 하고 4 그 시녀 빌하를 남편에게 첩으로 주매 야곱이 그에게로 들어갔더니 5 빌하가 잉태하여 야곱에게 아들을 낳은지라 6 라헬이 가로되 하나님이 내 억울함을 푸시려고 내 소리를 들으사 내게 아들을 주셨다 하고 이로 인하여 그 이름을 단이라 하였으며 7 라헬의 시녀 빌하가 다시 잉태하여 둘째 아들을 야곱에게 낳으매 8 라헬이 가로되 내가 형과 크게 경쟁하여 이기었다 하고 그 이름을 납달리라 하였더라 9 레아가 자기의 생산이 멈춤을 보고 그 시녀 실바를 취하여 야곱에게 주어 첩을 삼게 하였더니 10 레아의 시녀 실바가 야곱에게 아들을 낳으매 11 레아가 가로되 복되도다 하고 그 이름을 갓이라 하였으며 12 레아의 시녀 실바가 둘째 아들을 야곱에게 낳으매 13 레아가 가로되 기쁘도다 모든 딸들이 나를 기쁜 자라 하리로다 하고 그 이름을 아셀이라 하였더라 14 맥추 때에 르우벤이 나가서 들에서 합환채를 얻어 어미 레아에게 드렸더니 라헬이 레아에게 이르되 형의 아들의 합환채를 청구하노라 15 레아가 그에게 이르되 네가 내 남편을 빼앗은 것이 작은 일이냐 그런데 네가 내 아들의 합환채도 빼앗고자 하느냐 라헬이 가로되 그러면 형의 아들의 합환채 대신에 오늘 밤에 내 남편이 형과 동침하리라 하니라 16 저물 때에 야곱이 들에서 돌아오매 레아가 나와서 그를 영접하며 이르되 내게로 들어오라 내가 내 아들의 합환채로 당신을 샀노라 그 밤에 야곱이 그와 동침하였더

라 17 하나님이 레아를 들으셨으므로 그가 잉태하여 다섯째 아들을 야곱에게 낳은지라 18 레아가 가로되 내가 내 시녀를 남편에게 주었으므로 하나님이 내게 그 값을 주셨다 하고 그 이름을 잇사갈이라 하였으며 19 레아가 다시 잉태하여 여섯째 아들을 야곱에게 낳은지라 20 레아가 가로되 하나님이 내게 후한 선물을 주시도다 내가 남편에게 여섯 아들을 낳았으니 이제는 그가 나와 함께 거하리라 하고 그 이름을 스불론이라 하였으며 21 그 후에 그가 딸을 낳고 그 이름을 디나라 하였더라 22 하나님이 라헬을 생각하신지라 하나님이 그를 들으시고 그 태를 여신고로 23 그가 잉태하여 아들을 낳고 가로되 하나님이 나의 부끄러움을 씻으셨다 하고 24 그 이름을 요셉이라 하니 여호와는 다시 다른 아들을 내게 더하시기를 원하노라 함이었더라

마르크스가 그토록 중시하던 노동, 또 자본가들도 '고급 인력'이라는 표현으로 미화하는 '노동자' 생산에 하나님이 직접적으로 개입하심을 잘 알 수 있다. 인구 감소, 출산율 저하가 문제되고 있는 작금의 상태를 생각해 보아야 한다.

토지, 노동, 자본이 인간 마음대로 되어 생산물을 창출해내는 것이 아니다. 신명기 28장 말씀을 보자.

1 네가 네 하나님 여호와의 말씀을 삼가 듣고 내가 오늘 네게 명령하는 그의 모든 명령을 지켜 행하면 네 하나님 여호와께서 너를 세계 모든 민족 위에 뛰어나게 하실 것이라 2 네가 네 하나님 여호와의 말씀을 청종하면 이 모든 복이 네게 임하며 네게 이르리니 3 성읍에서도 복을 받고 들에서도 복을 받을 것이며 4 네 몸의 자녀와 네 토지의 소산과 네 짐승의 새끼와 소와 양의 새끼가 복을 받을 것이며

5 네 광주리와 떡 반죽 그릇이 복을 받을 것이며 6 네가 들어와도 복을 받고 나가도 복을 받을 것이니라 7 여호와께서 너를 대적하기 위해 일어난 적군들을 네 앞에서 패하게 하시리라 그들이 한 길로 너를 치러 들어왔으나 네 앞에서 일곱 길로 도망하리라 8 여호와께서 명령하사 네 창고와 네 손으로 하는 모든 일에 복을 내리시고 네 하나님 여호와께서 네게 주시는 땅에서 네게 복을 주실 것이며 9 여호와께서 네게 맹세하신 대로 너를 세워 자기의 성민이 되게 하시리니 이는 네가 네 하나님 여호와의 명령을 지켜 그 길로 행할 것임이니라 10 땅의 모든 백성이 여호와의 이름이 너를 위하여 불리는 것을 보고 너를 두려워하리라 11 여호와께서 네게 주리라고 네 조상들에게 맹세하신 땅에서 네게 복을 주사 네 몸의 소생과 가축의 새끼와 토지의 소산을 많게 하시며 12 여호와께서 너를 위하여 하늘의 아름다운 보고를 여시사 네 땅에 때를 따라 비를 내리시고 네 손으로 하는 모든 일에 복을 주시리니 네가 많은 민족에게 꾸어줄지라도 너는 꾸지 아니할 것이요 13 여호와께서 너를 머리가 되고 꼬리가 되지 않게 하시며 위에만 있고 아래에 있지 않게 하시리니 오직 너는 내가 오늘 네게 명령하는 네 하나님 여호와의 명령을 듣고 지켜 행하며 14 내가 오늘 너희에게 명령하는 그 말씀을 떠나 좌로나 우로나 치우치지 아니하고 다른 신을 따라 섬기지 아니하면 이와 같으리라 15 네가 만일 네 하나님 여호와의 말씀을 순종하지 아니하여 내가 오늘 네게 명령하는 그의 모든 명령과 규례를 지켜 행하지 아니하면 이 모든 저주가 네게 임하며 네게 이를 것이니 16 네가 성읍에서도 저주를 받으며 들에서도 저주를 받을 것이요 17 또 네 광주리와 떡 반죽 그릇이 저주를 받을 것이요 18 네 몸의 소생과 네 토지의 소산과 네 소와 양의 새끼가 저주를 받을 것이며 19 네가 들어와도 저주를 받고 나가도 저주를 받으리라 20 네가 악을 행하여 그를 잊으므로 네 손으로 하는 모든 일에 여호와께서 저주와 혼란과 책망을 내리사 망하며 속히 파멸하게 하실 것이며 21 여호와께서 네 몸

에 염병이 들게 하사 네가 들어가 차지할 땅에서 마침내 너를 멸하실 것이며 22 여호와께서 폐병과 열병과 염증과 학질과 한재와 풍재와 썩는 재앙으로 너를 치시리니 이 재앙들이 너를 따라서 너를 진멸하게 할 것이라 23 네 머리 위의 하늘은 놋이 되고 네 아래의 땅은 철이 될 것이며 24 여호와께서 비 대신에 티끌과 모래를 네 땅에 내리시리니 그것들이 하늘에서 네 위에 내려 마침내 너를 멸하리라 25 여호와께서 네 적군 앞에서 너를 패하게 하시리니 네가 그들을 치러 한 길로 나가서 그들 앞에서 일곱 길로 도망할 것이며 네가 또 땅의 모든 나라 중에 흩어지고 26 네 시체가 공중의 모든 새와 땅의 짐승들의 밥이 될 것이나 그것들을 쫓아줄 자가 없을 것이며 27 여호와께서 애굽의 종기와 치질과 괴혈병과 피부병으로 너를 치시리니 네가 치유 받지 못할 것이며 28 여호와께서 또 너를 미치는 것과 눈 머는 것과 정신병으로 치시리니 29 맹인이 어두운 데에서 더듬는 것과 같이 네가 백주에도 더듬고 네 길이 형통하지 못하여 항상 압제와 노략을 당할 뿐이리니 너를 구원할 자가 없을 것이며 30 네가 여자와 약혼하였으나 다른 사람이 그 여자와 같이 동침할 것이요 집을 건축하였으나 거기에 거주하지 못할 것이요 포도원을 심었으나 네가 그 열매를 따지 못할 것이며 31 네 소를 네 목전에서 잡았으나 네가 먹지 못할 것이며 네 나귀를 네 목전에서 빼앗겨도 도로 찾지 못할 것이며 네 양을 원수에게 빼앗길 것이나 너를 도와 줄 자가 없을 것이며 32 네 자녀를 다른 민족에게 빼앗기고 종일 생각하고 찾음으로 눈이 피곤하여지나 네 손에 힘이 없을 것이며 33 네 토지 소산과 네 수고로 얻은 것을 네가 알지 못하는 민족이 먹겠고 너는 항상 압제와 학대를 받을 뿐이리니 34 이러므로 네 눈에 보이는 일로 말미암아 네가 미치리라 35 여호와께서 네 무릎과 다리를 쳐서 고치지 못할 심한 종기를 생기게 하여 발바닥에서부터 정수리까지 이르게 하시리라 36 여호와께서 너와 네가 세울 네 임금을 너와 네 조상들이 알지 못하던 나라로 끌어 가시리니 네가 거기서 목석으로 만든

다른 신들을 섬길 것이며 37 여호와께서 너를 끌어가시는 모든 민족 중에서 네가 놀람과 속담과 비방거리가 될 것이라 38 네가 많은 종자를 들에 뿌릴지라도 메뚜기가 먹으므로 거둘 것이 적을 것이며 39 네가 포도원을 심고 가꿀지라도 벌레가 먹으므로 포도를 따지 못하고 포도주를 마시지 못할 것이며 40 네 모든 경내에 감람나무가 있을지라도 그 열매가 떨어지므로 그 기름을 네 몸에 바르지 못할 것이며 41 네가 자녀를 낳을지라도 그들이 포로가 되므로 너와 함께 있지 못할 것이며 42 네 모든 나무와 토지 소산은 메뚜기가 먹을 것이며 43 너의 중에 우거하는 이방인은 점점 높아져서 네 위에 뛰어나고 너는 점점 낮아질 것이며 44 그는 네게 꾸어줄지라도 너는 그에게 꾸어주지 못하리니 그는 머리가 되고 너는 꼬리가 될 것이라 45 네가 네 하나님 여호와의 말씀을 청종하지 아니하고 네게 명령하신 그의 명령과 규례를 지키지 아니하므로 이 모든 저주가 네게 와서 너를 따르고 네게 이르러 마침내 너를 멸하리니 46 이 모든 저주가 너와 네 자손에게 영원히 있어서 표징과 훈계가 되리라

이로써 우리는 생산의 1大 요소가 바로 하나님의 복임을 알 수 있다. 나머지 토지, 노동, 자본은 부수적 요소에 지나지 않는다. 이 점을 현대 경제학이 간과하고 있다.

# 잉여가치
# 창출주
# 하나님

## · 5장 ·
# 잉여가치 창출주 하나님

잉여가치는 누가 창출하는가? 지주인가? 노동자인가? 자본가인가? 또 어느 정도씩 기여하고 있는가? 이와 관련한 논쟁으로 인해 지난 세기가 전쟁으로 얼룩졌고 아직도 이 논쟁은 생산 현장에서 계속되고 있다.

하나님은 토지 소산의 만물을 여호와께서 그 이름을 두시려고 택하신 곳으로 가지고 와서 그 소산이 나오기까지 하나님이 어떻게 인도하셨는지 고백드리며 하나님 앞에 바치라 말씀하신다. 이 소산이 어떻게 생겨났는지 인간들은 잊어버리기 쉽다. 자신의 노력으로 생겨났다고 착각한다. 그 후손들은 더욱 더 그렇게 된다. 가장 중요한 것은 하나님을 기억하고 하나님께 경배드리는 것이며, 모든 일의 의미를 이해하는 것이다.

앞 장의 '생산의 1대 요소'에서 보았듯이 잉여가치의 창출자는 당연히 하나님이시다. 야곱의 노동은 그 통로일 뿐이다. 즉 노동자나, 자본가나, 지주나 누구도 잉여가치에 대해 소유권을 주장할 수 없다. 다만 하나님의 은혜를 따라 누릴 뿐이다. 향유권이 있을 뿐이다. 그런데 자본가나 지주는 이 점에서 크게 착각하는 경우가 많다. 당연히 노동자도 마찬가지다. 마르크스는 이 점을 이해하지 못했다. 자본론 '제16장 절대적 및 상대적 잉여가치'에서 그의 논지를 편다.

마르크스는 노동일의 절대적 연장을 통한 절대적 잉여가치의 생산은 여러 저항에 부딪히면서 상대적 잉여가치의 생산으로 전환하게 되는데 이 점이 바로 진정한 자본주의적 생산 양식의 출발점이라고 할 수 있다고 말한다.

이윤은 어디에서 생겨나는가? 존 스튜어트 밀(이하 밀)은 이것이 상품을 생산하는 데 소요된 시간보다 그 상품이 더 오랜 시간 소비되는 데서 찾고 있다고 본다. 마르크스는 밀의 지적 수준을 혹독하게 비판한다. 고대에도 교환 없이 이윤이 있을 수 있다고 보는 밀의 생각이 지적이라고 평가받는 것은 부르주아지들의 지적 수준을 드러내고 있다고 말한다. 다음은 밀의 말이다.

"이리하여 우리는 이윤이 발생하는 것은 교환이라는 우연한 사건으로부터가 아니라 노동생산력으로부터임을 알게 된다. 한 나라의 총이윤은 교환이 진행되든 안 되든 언제나 노동 생산력에 의하여 생산된다. 만약 분업이 없다면 구매도 판매도 없을 것이지만, 그래도 이윤은 존재할 것이다. 만약 한 나라의 전체 노동자가 그들의 임금액보다 20% 더 많이 생산한다면, 상품의 가격상태가 어떻든 이윤은 20%로 될 것이다."

이에 대해 마르크스는 다음과 같이 말하고 있다.

"이것은 한편으로는 아주 훌륭한 동의반복이다. 왜냐하면 노동자가 자기의 자본가를 위하여 20%의 잉여가치를 생산한다면 자본가의 이윤은 노동자의 임금총액에 대하여 20:100으로 될 것은 자명한 일이기 때문이다. 다른 한편으로 이윤이 20%로 될 것이라는 것은 완전히 틀린 말이다. 이윤은 투하자본 총액에 대하여 계산되는 것이므로 이윤율은 더욱 낮을 수밖에 없다. 예를 들어, 자본가가 500원을 투하하였는데 그 중에서 400원은 생산수단으로 100원은 임금으로 투하하였다고 하자. 잉여가치율을 위에서 가정한 것처럼 20%라고 하면 이윤율은 20%가 아니라 20:500 즉 4%가 될 것이다."

그러나 역시 저주받은 땅에서 노동 착취의 저주를 더하고 있는 라반에 대해 지적을 하면서도 야곱에게 복 주시는 하나님의 개입을 인정하지 못하는 데서 마르크스 자본론의 핵심적 오류가 존재한다. 하지만 사탄은 하나님 앞에서는 잉여가치의 원천을 잘 이해하고 있다. 욥기 1장을 보자.

3 그의 소유물은 양이 칠천 마리요 낙타가 삼천 마리요 소가 오백 겨리요 암나귀가 오백 마리이며 종도 많이 있었으니 이 사람은 동방 사람 중에 가장 훌륭한 자라 4 그의 아들들이 자기 생일에 각각 자기의 집에서 잔치를 베풀고 그의 누이 세 명도 청하여 함께 먹고 마시더라 5 그들이 차례대로 잔치를 끝내면 욥이 그들을 불러다가 성결하게 하되 아침에 일어나서 그들의 명수대로 번제를 드렸으니 이는 욥이 말하기를 혹시 내 아들들이 죄를 범하여 마음으로 하나님을 욕되게 하였을까 함이라 욥의 행위가 항상 이러하였더라 6 하루는 하나님의 아들들이 와서 여호와 앞에 섰고 사탄도 그들 가운데에 온지

라 7 여호와께서 사탄에게 이르시되 네가 어디서 왔느냐 사탄이 여호와께 대답하여 이르되 땅을 두루 돌아 여기저기 다녀왔나이다 8 여호와께서 사탄에게 이르시되 네가 내 종 욥을 주의하여 보았느냐 그와 같이 온전하고 정직하여 하나님을 경외하며 악에서 떠난 자는 세상에 없느니라 9 사탄이 여호와께 대답하여 이르되 욥이 어찌 까닭 없이 하나님을 경외하리이까 10 주께서 그와 그의 집과 그의 모든 소유물을 울타리로 두르심 때문이 아니니이까 주께서 그의 손으로 하는 바를 복되게 하사 그의 소유물이 땅에 넘치게 하셨음이니이다 11 이제 주의 손을 펴서 그의 모든 소유물을 치소서 그리하시면 틀림없이 주를 향하여 욕하지 않겠나이까 12 여호와께서 사탄에게 이르시되 내가 그의 소유물을 다 네 손에 맡기노라 다만 그의 몸에는 네 손을 대지 말지니라 사탄이 곧 여호와 앞에서 물러가니라

토지, 노동, 자본을 대규모로 소유한 거부였던 욥은 자신의 부의 원천을 어떻게 이해하고 있었나? 욥기 1장에 잘 나와 있다.

13 하루는 욥의 자녀들이 그 맏아들의 집에서 음식을 먹으며 포도주를 마실 때에 14 사환이 욥에게 와서 아뢰되 소는 밭을 갈고 나귀는 그 곁에서 풀을 먹는데 15 스바 사람이 갑자기 이르러 그것들을 빼앗고 칼로 종들을 죽였나이다 나만 홀로 피하였으므로 주인께 아뢰러 왔나이다 16 그가 아직 말하는 동안에 또 한 사람이 와서 아뢰되 하나님의 불이 하늘에서 떨어져서 양과 종들을 살라 버렸나이다 나만 홀로 피하였으므로 주인께 아뢰러 왔나이다 17 그가 아직 말하는 동안에 또 한 사람이 와서 아뢰되 갈대아 사람이 세 무리를 지어 갑자기 낙타에게 달려들어 그것을 빼앗으며 칼로 종들을 죽였나이다 나만 홀로 피하였으므로 주인께 아뢰러 왔나이다 18 그가 아직 말하는 동안에 또 한 사람이 와서 아뢰되 주인의 자녀들이 그들의 맏아

들의 집에서 음식을 먹으며 포도주를 마시는데 19 거친 들에서 큰 바람이 와서 집 네 모퉁이를 치매 그 청년들 위에 무너지므로 그들이 죽었나이다 나만 홀로 피하였으므로 주인께 아뢰러 왔나이다 한지라 20 욥이 일어나 겉옷을 찢고 머리털을 밀고 땅에 엎드려 예배하며 21 이르되 내가 모태에서 알몸으로 나왔사온즉 또한 알몸이 그리로 돌아가올지라 주신 이도 여호와시요 거두신 이도 여호와시오니 여호와의 이름이 찬송을 받으실지니이다 하고 22 이 모든 일에 욥이 범죄하지 아니하고 하나님을 향하여 원망하지 아니하니라

토지, 노동, 자본의 주인이시며 잉여가치의 창출자이신 하나님은 이스라엘에 매년 십일조와 3년 십일조와 면제년과 안식년과 희년을 통해 토지, 노동, 자본 모두를 지속적으로 그것을 소유하지 못한 사람들에게 재분배할 것을 요구하셨다.

그럼 모든 것의 소유자이시면서 토지도 자본도 없이, 공중의 새만도 못하게 머리 둘 곳도 없이 사신 예수님은 왜 십자가에서 돌아가셨는가? 지주를 위해서인가? 노동자를 위해서인가? 자본가를 위해서인가? 이도 저도 없는 사람들을 위해서인가? 이 예수님을 전하면서 온갖 고난을 겪다가 노년에 결국 차가운 감옥 바닥에서 옷 몇 벌을 보내달라는 편지를 쓰신 사도 바울이 모든 사람 가운데 불쌍한 자로 사신 이유가 무엇인가?

고린도전서 15장에 있는 다음의 말씀을 살펴보자.

17 그리스도께서 다시 사신 것이 없으면 너희의 믿음도 헛되고 너희가 여전히 죄 가운데 있을 것이요 18 또한 그리스도 안에서 잠자는 자도 망하였으리니 19 만일 그리스도 안에서 우리의 바라는 것이 다만 이생 뿐이면 모든 사람 가운데 우리가 더욱 불쌍한 자리라 20 그

러나 이제 그리스도께서 죽은 자 가운데서 다시 살아 잠자는 자들의 첫 열매가 되셨도다 21 사망이 사람으로 말미암았으니 죽은 자의 부활도 사람으로 말미암는도다 22 아담 안에서 모든 사람이 죽은 것 같이 그리스도 안에서 모든 사람이 삶을 얻으리라

성장인가? 분배인가? 현 상황이 경제 위기인가? 오히려 경제 위기론이 문제인가? 노동자의 요구가 과다한가? 자본가는 누구인가? 이러한 논의를 하는 사람들의 근본 바탕엔 어떤 생각이 깔려 있는가? 무엇을 위한 성장이고, 축적인가? 무엇을 위한 경제 활동인가?

무엇을 풀면 문제가 풀릴 것인가? 금리는 왜 오르락 내리락하고, 부동산 값은 폭등하고, 유가는 변동하고 그에 따라 주식 시장은 일희일비하는가? GNI는 증대되는데 왜 소득불평등이 심화되어 한쪽에서는 온갖 것을 다 누리는데도 다른 쪽에서는 빈곤층은 늘어만 가며 이에 대한 대답은 무엇인가? 2만 달러 시대를 만들면 이 모든 문제가 해결되는가?

삶이란 무엇일까? 여기에서서부터 인간 세계의 모든 문제에 대한 답이 찾아져야 한다. 답이 잘 나오지 않을수록 보다 근원적 문제로 돌아가야 한다. 인간에게 이런 문제가 왜 생겨나기 시작했는가 하는 점에서부터. '앞으로 인간 세계는 어떻게 될 것인가, 하나님은 정말 살아계시는가?' '또 그렇다면 하나님은 이 땅의 문제들에 대해 어떤 답을 원하시는가?' '그리고 이 땅에 대해 어떻게 하실 것인가?' 등에 대해 생각하는 것이 이 모든 문제를 제대로 이해하고 우리의 정책 결정 방향, 행동 방향을 올바르게 결정짓게 해준다.

# VI

# 경제적 위기의 근본 원인

인간의 탐욕과 불순종, 하나님의 심판

· 6장 ·

# 경제적 위기의 근본 원인
### 인간의 탐욕과 불순종, 하나님의 심판

이 세상의 경제적 문제는 아담의 타락에서부터 생겨났다. 선악과가 그렇게 만든 것이 아니고, 아담의 탐욕이 이 모든 불행의 원인이다. 지주, 노동자, 자본가 모두 탐욕스런 존재다. 다만 이런 존재들 중 또더 탐욕스럽게 타자를 착취하는 자가 존재한다. 토지가 문제가 아니고, 토지를 대상으로 한 인간의 탐욕이 문제다. 자본이 문제가 아니고, 자본을 대상으로 한 인간의 탐욕이 문제다. 탐욕을 제거하지 못하는 한 경제문제는 풀릴 수 없다.

원인과 결과를 오해해선 안 된다. 이 점에서 헨리 조지는 오해하고 있다. 지대조세제를 실현한다고 유토피아가 실현되지 않는다. 지대착취는 탐욕의 결과이지 탐욕의 원인이 아니다. 프롤레타리아의 독재도 마찬가지로 유토피아를 가져오지 못한다. 노동자도 타락한 죄인일뿐이다. 다만 더 큰 고통을 이 땅에서 지주와 자본가로부터 받고 있는 사람이다. 지주는 자본가와 노동자를 착취하고, 자본가는 그 착취당함을 노동자에게 전가하며 노동자를 착취하고 있다. 이 모든 어려움 속에서도 최후의 승리자는 대자본가다. 하지만 그렇게 세상이 끝나진 않는다. 하나님이 계시기 때문이다. 창세기 3장을 보자.

1 그런데 뱀은 여호와 하나님이 지으신 들짐승 중에 가장 간교하니라 뱀이 여자에게 물어 이르되 하나님이 참으로 너희에게 동산 모든 나무의 열매를 먹지 말라 하시더냐 2 여자가 뱀에게 말하되 동산 나무의 열매를 우리가 먹을 수 있으나 3 동산 중앙에 있는 나무의 열매는 하나님의 말씀에 너희는 먹지도 말고 만지지도 말라 너희가 죽을까 하노라 하셨느니라 4 뱀이 여자에게 이르되 너희가 결코 죽지 아니하리라 5 너희가 그것을 먹는 날에는 너희 눈이 밝아져 하나님과 같이 되어 선악을 알 줄 하나님이 아심이니라 6 여자가 그 나무를 본즉 먹음직도 하고 보암직도 하고 지혜롭게 할 만큼 탐스럽기도 한 나무인지라 여자가 그 열매를 따먹고 자기와 함께 있는 남편에게도 주매 그도 먹은지라

아담은 하나님의 말씀에 순종하지 않았다.

욕심이 잉태한즉 죄를 낳고 죄가 장성한즉 사망을 낳느니라(약 1:15)

이 탐욕은 대상을 가리지 않는다. 한 대상을 제거해도 그 탐욕이 제거되지 않는 한, 여전히 엉뚱한 대상을 찾아 헤맨다. 막스 베버가 말하는 '네덜란드 선장'의 모습이다. 누가복음 12장의 다음 본문을 살펴보자.

13 무리 중에 한 사람이 이르되 선생님 내 형(혹 동생)을 명하여 유업을 나와 나누게 하소서 하니 14 이르시되 이 사람아 누가 나를 너희의 재판장이나 물건 나누는 자로 세웠느냐 하시고 15 저희에게 이르시되 삼가 모든 탐심을 물리치라 사람의 생명이 그 소유의 넉넉한데 있지 아니하니라 하시고 16 또 비유로 저희에게 일러 가라사대 한 부자가 그 밭에 소출이 풍성하매 17 심중에 생각하여 가로되 내가 곡식 쌓아 둘 곳이 없으니 어찌할꼬 하고 18 또 가로되 내가 이렇게 하리라 내 곡간을 헐고 더 크게 짓고 내 모든 곡식과 물건을 거기쌓아 두리라 19 또 내가 내 영혼에게 이르되 영혼아 여러 해 쓸 물건을 많이 쌓아 두었으니 평안히 쉬고 먹고 마시고 즐거워하자 하리라 하되 20 하나님은 이르시되 어리석은 자여 오늘 밤에 네 영혼을 도로 찾으리니 그러면 네 예비한 것이 뉘 것이 되겠느냐 하셨으니 21 자기를 위하여 재물을 쌓아 두고 하나님께 대하여 부요치 못한 자가 이와 같으니라

경제 현장에서의 여러 문제들을 두고 의견이 각각 분분하다. 민족적 인종적 종교적 갈등 안에도 공통적으로 존재하는 것이 경제적 갈등이다. '10억 만들기'가 유행이 된 세상이다. 돈을 많이 가진 자가 그 어떤 시대보다도 더 선망의 대상이 된 세상이다. 돈을 사랑하는 것에 대하여 성경에선 어떤 말씀들이 있는지 살펴보자.

1. 술을 즐기지 아니하며 구타하지 아니하며 오직 관용하며 다투지 아니하며 돈을 사랑하지 아니하며(딤전 3:3)
2. 돈을 사랑함이 일만 악의 뿌리가 되나니 이것을 탐내는 자들은 미혹을 받아 믿음에서 떠나 많은 근심으로써 자기를 찔렀도다(딤전 6:10)
3. 사람들이 자기를 사랑하며 돈을 사랑하며 자랑하며 교만하며 비

방하며 부모를 거역하며 감사하지 아니하며 거룩하지 아니하며(딤
후 3:2)

4.돈을 사랑하지 말고 있는 바를 족한 줄로 알라 그가 친히 말씀하
시기를 내가 결코 너희를 버리지 아니하고 너희를 떠나지 아니하리
라 하셨느니라(히 13:5)

사도 바울은 돈을 사랑하는 것이 일만 악의 근본이라 했다. 그러면
경제는 돈을 둘러싼 행위인데 아예 도외시해 버려야 할까? 하나님은
이에 대해 우리가 어떻게 대처하기를 원하실까? 성경에도 위에서 본
말씀들 외에도 이와 관련한 다양한 말씀들이 존재한다. 기독교 내에
도 다양한 종교적 교리가 존재하듯이, 경제 문제를 둘러싼 기독인들
의 해석도 다양하다. 심지어 전혀 비성경적인 결론을 도출해내는 서
기관과 바리새인이 존재하기도 한다. 이 다양함 속에서 우리는 주님
이 주시는 지혜를 따라 통일되어야 한다.

하늘에 있는 것이나 땅에 있는 것이 다 그리스도 안에서 통일되게
하려 하심이라 (엡1:10)

# VII

# 성경 경제법의 원칙

생활수단 생산수단 장단주기 복합 분배론

# 7장

# 성경 경제법의 원칙
## 생활수단 생산수단 장단주기 복합 분배론

 

 

 

오늘날의 경제에 성경의 경제법을 적용하려면 그 원칙을 찾아보는 것이 중요하다. 시대가 변하고 경제 현상이 변했기에 그 방식 그대로 적용하는 것은 무리다. 그러나 그 원칙을 추출한다면 적당한 방법이 나온다. 이런 점에서 원칙 추출은 아주 중요하다.

돼지고기를 먹지 말라 하셨지만 베드로에겐 이것이 거룩하게 되었다. 세금을 거두는 것 자체도 잘 거두어야 하지만, 어디에 쓰는 것인가 하는 점이 더욱 중요하다. 헨리 조지는 이 점을 간과했다. 성경은 끊임없이 누구에게 쓸 것인가를 말씀하신다.

안식일에 일하지 말라 하셨다. 하지만 예수님은 안식일에 병자를 고치는 일을 하셨다. 서기관과 바리새인은 문자적으로 말씀을 해석했지만, 예수님은 그 뜻을 따라 해석하셨다. 즉 안식일이 사람을 위해 제정되었음을 아셨고, 따라서 안식일에 병자를 고치는 행위는 사람을 위해 하는 것이므로 안식일을 어기는 것이 아님을 나타내셨다. 오히려 안식일의 정신을 가장 잘 지키신 분이 예수님이셨다. 왜냐하면 병자는 그 안식일에도 안식하지 못하고 있었기 때문이고, 예수님의 치료하심을 통해 참 안식을 얻게 되었기 때문이다. 그런데도 건강한 자들이 자신들은 안식하면서도 안식일에조차 안식하지 못하는 병자들을 예수님이 안식으로 인도하시는 것에 분냈던 것이니, 이들이 얼마나 자비가 없는 자들인가 잘 알 수 있다.

이 땅에서 하나님이 주신 것으로 모든 것을 누리고 살다가 그것을 자식에게 물려주는 자들도 마찬가지다. 자신들이 모든 것을 누릴 동안에 이 땅에서 가난으로 인해 고통받는 자들의 신음소리를 듣지 않는다면 하나님이 복 주신 이유를 망각한 것이며 하나님께 탄식 소리가 올라가게 하여서 하나님의 마음을 아프게 하는 행위가 되는 것이니 이 어찌 불량한 자들이라 말하지 않을 수 있겠는가?

성경의 경제법은 사람을 위해 만드셨다. 이렇게 공의로운 법을 가진 나라가 없다고 하셨다. 이 법대로 사회가 유지된다면 극심한 빈부 격차 없이 거의 비슷한 수준에서 살아갈 수 있는 시스템이 형성될 수 있었다. 하나님은 바로 이 점을 원하셨다고 보아야 한다. 그렇다면 오늘날도 지니계수, 상하위 계층의 소득 격차를 하나님이 원하시는 수준으로 회복시키는 경제 정책이 실현되면 된다고 보아야 한다.

그렇다면 매년 십일조, 매3년 십일조, 매7년 면제년 및 안식년, 매50년 희년 등 1,3,7,50의 1년이라는 단주기에서부터 50년이라는 장주기에 이르기까지 생산물 분배에 의한 생활 수단 분배와 부채 탕감, 신분해방, 노동 해방, 생산 수단 분배라는 복합적 방법에 의해 정치 경제적 평등 사회를 만든 제반 제도 – 우리는 이를 '생활수단 및 생산수단의 장단주기복합적 분배'라고 부르는데 이를 줄여 '장단주기분배론'

이라 한다 – 가 가진 의미를 살펴보도록 하겠다.

## 1. 단기적 생활수단 분배 : 매년 십일조 및 매3년 십일조

십일조는 무엇일까? 신명기 26장 말씀을 읽어보자.

1 네 하나님 여호와께서 네게 기업으로 주어 차지하게 하실 땅에 네가 들어가서 거기에 거주할 때에 2 네 하나님 여호와께서 네게 주신 땅에서 그 토지의 모든 소산의 만물을 거둔 후에 그것을 가져다가 광주리에 담고 네 하나님 여호와께서 그의 이름을 두시려고 택하신 곳으로 그것을 가지고 가서 3 그 때의 제사장에게 나아가 그에게 이르기를 내가 오늘 당신의 하나님 여호와께 아뢰나이다 내가 여호와께서 우리에게 주시겠다고 우리 조상들에게 맹세하신 땅에 이르렀나이다 할 것이요 4 제사장은 네 손에서 그 광주리를 받아서 네 하나님 여호와의 제단 앞에 놓을 것이며 5 너는 또 네 하나님 여호와 앞에 아뢰기를 내 조상은 방랑하는 아람 사람으로서 애굽에 내려가 거기에서 소수로 거류하였더니 거기에서 크고 강하고 번성한 민족이 되었는데 6 애굽 사람이 우리를 학대하며 우리를 괴롭히며 우리에게 중노동을 시키므로 7 우리가 우리 조상의 하나님 여호와께 부르짖었더니 여호와께서 우리 음성을 들으시고 우리의 고통과 신고와 압제를 보시고 8 여호와께서 강한 손과 편 팔과 큰 위엄과 이적과 기사로 우리를 애굽에서 인도하여 내시고 9 이곳으로 인도하사 이 땅 곧 젖과 꿀이 흐르는 땅을 주셨나이다 10 여호와여 이제 내가 주께서 내게 주신 토지 소산의 만물을 가져왔나이다 하고 너는 그것을 네 하나님 여호와 앞에 두고 네 하나님 여호와 앞에 경배할 것이며 11 네 하나님 여호와께서 너와 네 집에 주신 모든 복으로 말미암아 너는 레위인과 너희 가운데에 거류하는 객과 함께 즐거워할지니

라 12 셋째 해 곧 십일조를 드리는 해에 네 모든 소산의 십일조 내기를 마친 후에 그것을 레위인과 객과 고아와 과부에게 주어 네 성읍 안에서 먹고 배부르게 하라 13 그리 할 때에 네 하나님 여호와 앞에 아뢰기를 내가 성물을 내 집에서 내어 레위인과 객과 고아와 과부에게 주기를 주께서 내게 명령하신 명령대로 하였사오니 내가 주의 명령을 범하지도 아니하였고 잊지도 아니하였나이다 14 내가 애곡하는 날에 이 성물을 먹지 아니하였고 부정한 몸으로 이를 떼어두지 아니하였고 죽은 자를 위하여 이를 쓰지 아니하였고 내 하나님 여호와의 말씀을 청종하여 주께서 내게 명령하신 대로 다 행하였사오니 15 원하건대 주의 거룩한 처소 하늘에서 보시고 주의 백성 이스라엘에게 복을 주시며 우리 조상들에게 맹세하여 우리에게 주신 젖과 꿀이 흐르는 땅에 복을 내리소서 할지니라 16 오늘 네 하나님 여호와께서 이 규례와 법도를 행하라고 네게 명령하시나니 그런즉 너는 마음을 다하고 뜻을 다하여 지켜 행하라 17 네가 오늘 여호와를 네 하나님으로 인정하고 또 그 도를 행하고 그의 규례와 명령과 법도를 지키며 그의 소리를 들으라 18 여호와께서도 네게 말씀하신 대로 오늘 너를 그의 보배로운 백성이 되게 하시고 그의 모든 명령을 지키라 확언하셨느니라 19 그런즉 여호와께서 너를 그 지으신 모든 민족 위에 뛰어나게 하사 찬송과 명예와 영광을 삼으시고 그가 말씀하신 대로 너를 네 하나님 여호와의 성민이 되게 하시리라

토지도 하나님으로부터, 그 소산물도 하나님으로부터 왔음을 하나님 앞에 가서 고백하고 감사드리며 그것을 레위인과 객, 고아, 과부 등 토지를 가지지 못한 사람들과 나누라고 말씀하신다. 생산은 하나님의 은혜를 통해 이루어졌으니, 토지와 그 생산물을 인간이 무상에 가깝게 풍족하게 받았으니 이를 또 가지지 못한 자들과 무상으로 나누라는 말씀이시다. 이는 벌금이 아니다. 은혜를 누리며, 은혜를 나누며 미

래의 은혜를 기대하는 행위이다. 그래서 하나님은 '복을 내리소서' 라는 기도를 드리라고 말씀하신다(15절) . 매년 십일조도 레위인, 객과 나눈다(11절). 매 3년 십일조는 여기에 더하여 고아, 과부 등과도 나눈다(12~13절). 그럼 매년 십일조는 고아, 과부 등과 나누지 않아도 되는가? 매 3년 십일조를 저축하여 다음 3년이 될 때까지 사용함으로 계속적으로 나누고 있다고 보아야 한다. 설령 이것이 다 떨어진다면 매년 십일조로 나누면 된다. 이것이 은혜 입은 자의 정당한 행위이다.

신명기 14장을 보자.

22 너는 마땅히 매 년 토지 소산의 십일조를 드릴 것이며 23 네 하나님 여호와 앞 곧 여호와께서 그의 이름을 두시려고 택하신 곳에서 네 곡식과 포도주와 기름의 십일조를 먹으며 또 네 소와 양의 처음 난 것을 먹고 네 하나님 여호와 경외하기를 항상 배울 것이니라 24 그러나 네 하나님 여호와께서 자기의 이름을 두시려고 택하신 곳이 네게서 너무 멀고 행로가 어려워서 네 하나님 여호와께서 그 풍부히 주신 것을 가지고 갈 수 없거든 25 그것을 돈으로 바꾸어 그 돈을 싸가지고 네 하나님 여호와께서 택하신 곳으로 가서 26 네 마음에 원하는 모든 것을 그 돈으로 사되 소나 양이나 포도주나 독주 등 네 마음에 원하는 모든 것을 구하고 거기 네 하나님 여호와 앞에서 너와 네 권속이 함께 먹고 즐거워할 것이며 27 네 성읍에 거주하는 레위인은 너희 중에 분깃이나 기업이 없는 자이니 또한 저버리지 말지니라 28 매 삼 년 끝에 그 해 소산의 십분의 일을 다 내어 네 성읍에 저축하여 29 너희 중에 분깃이나 기업이 없는 레위인과 네 성중에 거류하는 객과 및 고아와 과부들이 와서 먹고 배부르게 하라 그리하면 네 하나님 여호와께서 네 손으로 하는 범사에 네게 복을 주시리라

십일조는 요즘으로 말하면 각종 세금이라 할 수 있다. 레위인들은 땅을 분배받지 않고 공익적 행위에 종사했으므로 이들을 위한 기금으로 사용되어야 했다. 그래서 오늘날 공익적 국가 기능을 유지하기 위한 세금을 걷는 것은 벌금이 아니며 합당하다고 볼 수 있다. 그래서 세금이 공익적으로 사용되는가를 철저히 감시해야 한다.

매3년 십일조는 가난한 사람들, 나그네, 각종 사회적 약자들을 위해 사용된다. 사회복지를 위한 기금이다. 세금에도 이렇게 다시 갚을 수 없는 사람들에게 사용되기 위해 거두는 바가 있어야 한다. 세금이 착복되거나 낭비되는 일 없이 진정 필요한 사람들에게, 필요한 일에 사용되도록 감시해야 한다.

죽은 자를 위하여 십일조가 사용되면 안되었다(신26:14). 죽은 자에게 제사 지내는 형태로 쓰여서는 안된다는 말씀이라 본다. 십일조는 산 자에게 사용되어야 했다. 오늘날도 세금이 죽은 자를 위해 사용되면 안된다. 모든 먹을 것은 이 땅의 산 자를 위한 것이다. 병자와 장애인을 위해선 사용되어야 하지만 죽은 자를 위해선 안된다. 이 원칙을 준용하면 된다고 본다.


## 2. 장기적 생산 수단 분배

장기적으로는 매7년 면제년 법, 매50년 희년법 등이 존재하는데 이는 생산 수단과 관련되었다고 볼 수 있다. 생활 수단이 단기적으로 재분배되었던 것과 달리 생산 수단은 장기적으로 재분배되었다. 만약 생산 수단이 단기적으로 재분배될 경우, 도덕적 해이가 유발될 수 있었기 때문이라고 본다. 반면 생활 수단의 경우 도덕적 해이보다는 실질적 생활고의 문제 해결이 반드시 필요했기 때문이라고 본다. 각각을 자세히 살펴보겠다.

## 1) 자본 조정 – 매7년의 면제년

매7년 면제년에는 빚이 탕감되었다. 이는 장기적으로 이루어지고 또 거래에 있어서 이것을 예상하기 때문에 도덕적 해이를 가져오지 않는다. 부채는 자본의 문제다. 하나님은 바로 자본의 문제에도 관여하셨다. 신명기 15장을 보자.

1 매 칠 년 끝에는 면제하라 2 면제의 규례는 이러하니라 그의 이웃에게 꾸어준 모든 채주는 그것을 면제하고 그의 이웃에게나 그 형제에게 독촉하지 말지니 이는 여호와를 위하여 면제를 선포하였음이라 3 이방인에게는 네가 독촉하려니와 네 형제에게 꾸어준 것은 네 손에서 면제하라 4-5 네가 만일 네 하나님 여호와의 말씀만 듣고 내가 오늘 네게 내리는 그 명령을 다 지켜 행하면 네 하나님 여호와께서 네게 기업으로 주신 땅에서 네가 반드시 복을 받으리니 너희 중에 가난한 자가 없으리라 6 네 하나님 여호와께서 네게 허락하신 대로 네게 복을 주시리니 네가 여러 나라에 꾸어 줄지라도 너는 꾸지 아니하겠고 네가 여러 나라를 통치할지라도 너는 통치를 당하지 아니하리라 7 네 하나님 여호와께서 네게 주신 땅 어느 성읍에서든지 가난한 형제가 너와 함께 거주하거든 그 가난한 형제에게 네 마음을 완악하게 하지 말며 네 손을 움켜 쥐지 말고 8 반드시 네 손을 그에게 펴서 그에게 필요한 대로 쓸 것을 넉넉히 꾸어주라 9 삼가 너는 마음에 악한 생각을 품지 말라 곧 이르기를 일곱째 해 면제년이 가까이 왔다 하고 네 궁핍한 형제를 악한 눈으로 바라보며 아무것도 주지 아니하면 그가 너를 여호와께 호소하리니 그것이 네게 죄가 되

리라 10 너는 반드시 그에게 줄 것이요, 줄 때에는 아끼는 마음을 품지 말 것이니라 이로 말미암아 네 하나님 여호와께서 네가 하는 모든 일과 네 손이 닿는 모든 일에 네게 복을 주시리라 11 땅에는 언제든지 가난한 자가 그치지 아니하겠으므로 내가 네게 명령하여 이르노니 너는 반드시 네 땅 안에 네 형제 중 곤란한 자와 궁핍한 자에게 네 손을 펼지니라

줄 때에는 아끼는 마음을 품지 말라 하셨다(10절). 당연히 이자 계산, 원금 미회수 염려 등을 하지 말고 구하는 자의 필요에 따라 과감하게 지원하라는 말씀이다. 하나님이 이렇게 말씀하실 수 있는 이유가 있다. 모든 것을 하나님이 주셨기 때문이고, 또 모든 것을 하나님이 주실 수 있기 때문이다.

나눔은 바로 믿음이다. 믿음이 없이는 나눌 수 없다. 그러므로 나누지 않는 자들은 믿음이 없다고 보아야 한다. 아브라함은 믿음이 있었기에 이삭을 잡으려 했다. 자신의 재산도 못 잡는 자들을 아브라함의 후손이라 할 수 없다.

어떤 거부 아버지가 있는데 자기 재산의 일부를 두 아들에게 똑같이 나누어주었다. 그리고 아버지는 둘 중 누가 어려워지면 가진 재산을 서로 나누어 쓰라 하셨다. 그 부분을 채워주겠다고 하셨다. 그런데 동생이 어려워지자 큰 아들이 이를 나누지 않았다. 큰 아들은 아버지의 말씀을 믿지 않았으며, 같은 아버지에게서 나온 형제인 동생을 사랑하지도 않았으니 이는 아버지를 사랑하지 않고 있음을 드러냈다고 보아야 한다. 이 거부 아버지가 어떻게 할 것인가? 오늘날 부자 기독인들이 잘 새겨들어야 한다. 예수님 앞에서 어떤 과부가 두 렙돈을 바침으로써 그보다 더 많은 헌금을 바친 큰 부자들보다 칭찬받았다. 오늘날 신용 불량자 문제는 면제년의 정신이 사라진 데서 생겨났다. 기

독인들이 적극적 채무 탕감 운동을 벌여야 한다.

이 해는 안식년이기도 하다. 땅이 쉬는 해이다. 땅이 쉰다는 것은 사람이 쉰다는 이야기다. 땅의 소유자도 쉬고 그의 노동자들도 쉰다. 그의 가축들도 쉼을 얻는다. 땅의 들짐승들도 혜택을 입는다. 땅을 더 많이 사용하는 것이 중요한 것이 아니라 적정 기간에 따라 땅도 사람도 쉬면서 진정 중요한 것이 무엇인지를 생각해야 한다.

레위기 25장을 보자.

1 여호와께서 시내 산에서 모세에게 말씀하여 이르시되 2 이스라엘 자손에게 말하여 이르라 너희는 내가 너희에게 주는 땅에 들어간 후에 그 땅으로 여호와 앞에 안식하게 하라 3 너는 육 년 동안 그 밭에 파종하며 육 년 동안 그 포도원을 가꾸어 그 소출을 거둘 것이나 4 일곱째 해에는 그 땅이 쉬어 안식하게 할지니 여호와께 대한 안식이라 너는 그 밭에 파종하거나 포도원을 가꾸지 말며 5 네가 거둔 후에 자라난 것을 거두지 말고 가꾸지 아니한 포도나무가 맺은 열매를 거두지 말라 이는 땅의 안식년임이니라 6 안식년의 소출은 너희가 먹을 것이니 너와 네 남종과 네 여종과 네 품꾼과 너와 함께 거류하는 자들과 7 네 가축과 네 땅에 있는 들짐승들이 다 그 소출로 먹을 것을 삼을지니라

효율, 최대 이용만을 강조하는 현대자본주의가 안식, 나눔 등이 왜 중요한지 이해해야 한다. 주5일 근무제, 안식년 제도, 비정규직 보호, 휴경제, 산림 안식, 어로 금지 등이 적극 도입되어야 한다.

## 2) 토지, 노동의 재분배 – 매 50년 희년

희년은 토지 재분배의 해이고 인신해방, 노동 해방의 해다. 임금노동자에서 자영자로 바뀌는 해다. 레위기 25장을 보자. 생산 수단의 3요소인 토지, 노동의 재분배가 이루어지는 해이다.

8 너는 일곱 안식년을 계수할지니 이는 칠 년이 일곱 번인즉 안식년 일곱 번 동안 곧 사십구 년이라 9 일곱째 달 열흘날은 속죄일이니 너는 뿔나팔 소리를 내되 전국에서 뿔나팔을 크게 불지며 10 너희는 오십 년째 해를 거룩하게 하여 그 땅에 있는 모든 주민을 위하여 자유를 공포하라 이 해는 너희에게 희년이니 너희는 각각 자기의 소유지로 돌아가며 각각 자기의 가족에게로 돌아갈지며 11 그 오십 년째 해는 너희의 희년이니 너희는 파종하지 말며 스스로 난 것을 거두지 말며 가꾸지 아니한 포도를 거두지 말라 12 이는 희년이니 너희에게 거룩함이니라 너희는 밭의 소출을 먹으리라

토지, 노동 등 주요 생산수단의 균등한 재분배 원칙을 담고 있다고 보아야 한다. 생산 수단을 자기 몫보다 더 많이 가진 자가 그것을 가지지 못한 사람들에게 무상으로 재분배하고 있다. 자기 몫을 가지고 있는 사람들에게 돌아가는 것이 아니다. 자기 몫을 가지고 있지 못한 사람들에게 돌아가는 해이다. 그리고 특히 그 후손이 이것을 받는다고 보아야 한다. 50년이라는 주기는 인간의 노동과 생명 주기와 밀접한 관계가 있다. 하나님이 희년을 '50년마다'로 정하신 이유가 여기에 있다.

등가물에 의한 등가물의 교환의 관점에서 볼 수도 있다. 어차피 그 땅은 그 땅의 소산물을 예측 계산해서 팔았기 때문이다. 사인 간 거래다. 십일조는 사인 간 거래가 아니다. 나눔이다. 희년은 사인 간 거래다. 등가물에 의한 등가물의 교환이다. 그래서 십일조와 희년은 그 정

신이 다르다. 그런데 희년에도 은혜와 나눔이 존재한다. 즉 희년이 되기 전에라도 그 친족 중 무를 능력이 있는 자가 있으면 무상으로 그 친족을 도와야 한다는 점이다. 이는 팀제의 중요성을 보여주고 있다. 이스라엘은 동심원적, 나선형적 사회구조를 가지고 있다. 개인, 가족, 친족, 지파, 국가가 서로 맞물려 있다. 이 중 어느 하나라도 위기가 생기면 이를 복원하여 영구히 깨지지 않는 구조를 복합적 경제 제도로 뒷받침하고 있다. 즉 중요한 것은 사회 전체를 지속적으로 모든 단위에서 유지하고 있다는 점이다. 경제 정책은 바로 이 점에 촛점을 두어야 한다.

개인을 보호하고, 가족을 보호하고, 가문을 보호하고, 지역 사회를 보호하고, 지방을 보호하고, 국가를 보호하는 시스템이다. 인간 사회는 끊임없이 집중하는 경향이 있다. 돈도 집중하고, 권력도 집중하고, 인구도 집중한다. 이를 끊임없이 분산시켜야 한다. 규모의 경제를 위해 서로 더욱 집중하려는 경향, 바벨의 속성이다. 레위기 25장을 다시 보자.

13 이 희년에는 너희가 각기 자기의 소유지로 돌아갈지라 14 네 이웃에게 팔든지 네 이웃의 손에서 사거든 너희 각 사람은 그의 형제를 속이지 말라 15 그 희년 후의 연수를 따라서 너는 이웃에게서 살 것이요 그도 소출을 얻을 연수를 따라서 네게 팔 것인즉 16 연수가 많으면 너는 그것의 값을 많이 매기고 연수가 적으면 너는 그것의 값을 적게 매길지니 곧 그가 소출의 다소를 따라서 네게 팔 것이라 17 너희 각 사람은 자기 이웃을 속이지 말고 네 하나님을 경외하라 나는 너희의 하나님 여호와이니라 18 너희는 내 규례를 행하며 내 법도를 지켜 행하라 그리하면 너희가 그 땅에 안전하게 거주할 것이라 19 땅은 그것의 열매를 내리니 너희가 배불리 먹고 거기 안전

하게 거주하리라 20 만일 너희가 말하기를 우리가 만일 일곱째 해에 심지도 못하고 소출을 거두지도 못하면 우리가 무엇을 먹으리요 하겠으나 21 내가 명령하여 여섯째 해에 내 복을 너희에게 주어 그 소출이 삼 년 동안 쓰기에 족하게 하리라 22 너희가 여덟째 해에는 파종하려니와 묵은 소출을 먹을 것이며 아홉째 해에 그 땅에 소출이 들어오기까지 너희는 묵은 것을 먹으리라 23 토지를 영구히 팔지 말 것은 토지는 다 내 것임이니라 너희는 거류민이요 동거하는 자로서 나와 함께 있느니라 24 너희 기업의 온 땅에서 그 토지 무르기를 허락할지니 25 만일 네 형제가 가난하여 그의 기업 중에서 얼마를 팔았으면 그에게 가까운 기업 무를 자가 와서 그의 형제가 판 것을 무를 것이요 26 만일 그것을 무를 사람이 없고 자기가 부유하게 되어 무를 힘이 있으면 27 그 판 해를 계수하여 그 남은 값을 산 자에게 주고 자기의 소유지로 돌릴 것이니라 28 그러나 자기가 무를 힘이 없으면 그 판 것이 희년에 이르기까지 산 자의 손에 있다가 희년에 이르러 돌아올지니 그것이 곧 그의 기업으로 돌아갈 것이니라 29 성벽 있는 성 내의 가옥을 팔았으면 판 지 만 일 년 안에는 무를 수 있나니 곧 그 기한 안에 무르려니와 30 일 년 안에 무르지 못하면 그 성 안의 가옥은 산 자의 소유로 확정되어 대대로 영구히 그에게 속하고 희년에라도 돌려보내지 아니할 것이니라 31 그러나 성벽이 둘리지 아니한 촌락의 가옥은 나라의 전토와 같이 물러 주기도 할 것이요 희년에 돌려보내기도 할 것이니라 32 레위 족속의 성읍 곧 그들의 소유의 성읍의 가옥은 레위 사람이 언제든지 무를 수 있으나 33 만일 레위 사람이 무르지 아니하면 그의 소유 성읍의 판 가옥은 희년에 돌려 보낼지니 이는 레위 사람의 성읍의 가옥은 이스라엘 자손 중에서 받은 그들의 기업이 됨이니라 34 그러나 그들의 성읍 주위에 있는 들판은 그들의 영원한 소유지이니 팔지 못할지니라 35 네 형제가 가난하게 되어 빈 손으로 네 곁에 있거든 너는 그를 도와 거류민이나 동거인처럼 너와 함께 생활하게 하되 36 너는 그에게 이자를 받지 말고 네 하나님을 경외하여 네 형제로 너와 함께 생활하게 할 것인즉 37 너는 그에게 이자를 위하여 돈을 꾸어 주지 말고 이익을 위하여 네 양식을 꾸어 주지 말라 38 나는 너희의 하나님이 되며 또 가나안 땅을 너희에게 주려고 애굽 땅에서 너희를 인도하여 낸 너희의 하나님 여호와이니라 39 너와 함께 있는 네 형제가 가난하게 되어 네게 몸이 팔리거든 너는 그를 종으로 부리지 말고 40 품꾼이나 동거인과 같이 함께 있게 하여 희년까지 너를 섬기게 하라 41 그 때에는 그와 그의 자녀가 함께 네게서 떠나 그의 가족과 그의 조상의 기업으로 돌아가게 하라 42 그들은 내가 애굽 땅에서 인도하여 낸 내 종들이니 종으로 팔지 말 것이라 43 너는 그를 엄하게 부리지 말고 네 하나님을 경외하라 44 네 종은 남녀를 막론하고 네 사방 이방인 중에서 취할지니 남녀 종은 이런 자 중에서 사올 것이며 45 또 너희 중에 거류하는 동거인들의 자녀 중에서도 너희가 사올 수 있고 또 그들이 너희와 함께 있어서 너희 땅에서 가정을 이룬 자들 중에서도 그리 할 수 있은즉 그들이 너희의 소유가 될지니라 46 너희는 그들을 너희 후손에게 기업으로 주어 소유가 되게 할 것이라 이방인 중에서는 너희가 영원한 종을 삼으려니와 너희 동족 이스라엘 자손은 너희가 피차 엄하게 부리지 말지니라 47 만일 너와 함께 있는 거류민이나 동거인은 부유하게 되고 그와 함께 있는 네 형제는 가난하게 되므로 그가 너와 함께 있는 거류민이나 동거인 또는 거류민의 가족의 후손에게 팔리면  48 그가 팔린 후에 그에게는 속량 받을 권리가 있나니 그의 형제 중 하나가 그를 속량하거나 49 또는 그의 삼촌이나 그의 삼촌의 아들이 그를 속량하거나 그의 가족 중 그의 살붙이 중에서 그를 속량할 것이요 그가 부유하게 되면 스스로 속량하되 50 자기 몸이 팔린 해로부터 희년까지를 그 산 자와 계산하여 그 연수를 따라서 그 몸의 값을 정할 때에 그 사람을 섬긴 날을 그 사람에게 고용된 날로 여길 것이라 51 만일 남은 해가 많으면 그 연수대로 팔린 값에서 속량하는 값을 그 사람에게 도로 주고 52 만일 희년까지 남은 해가 적으면 그 사람과 계산하여 그 연수대로 속량하는 그 값을 그에게 도로 줄지며 53 주인은 그를 매년의 삯꾼과 같이 여기고 네 목전에서 엄하게 부리지 말지니라 54 그가 이같이 속량되지 못하면 희년에 이르러는 그와 그의 자녀가 자유하리니 55 이스라엘 자손은 나의 종들이 됨이라 그들은 내가 애굽 땅에서 인도하여 낸 내 종이요 나는 너희의 하나님 여호와이니라

돌려보냄, 나눔, 분산을 통해 사회 곳곳을 균형 발전시킨다. 몸에 병이 드는 것은 집중 때문이다. 혈액 순환이 되지 않으면, 영양을 골고루 나누어가지지 않으면 결국 그 인체는 사망에 이르게 된다. 하나는 전체를 위해, 전체는 하나를 위해 존재한다. 사회도 이렇게 되어야 한다. 개별 세포, 개별 조직, 개별 기관들이 서로 공존하며 몸 전체를 살려가야 한다. 위기에 처한 부위를 서로 언제나 돕는 체제로 가지 않으면 결국 그 몸은 사망에 이르게 된다. 한 사회도 마찬가지다. 그래서 평등이 중요하고 나눔이 중요하다. 불평등 사회는 반드시 해체된다. 공적인 것은 사적인 것이고, 사적인 것은 공적이다. 십일조는 공적 성격이며, 면제년이나 희년 등은 사적 거래에 관련된 법이다. 그런데 이들 모두 다시 공적인 것이라 할 수 있다.

오늘날 가장 중요한 생산 수단은 무엇인가? 토지는 여전히 중요하고 자본도 중요하지만 노동이 보다 중요하다. 지식 산업 사회로 갈수록 이 분야는 더욱 중요하다. 그럼 어떻게 지식 산업을 위한 생산 수단을 균등하게 재분배할 수 있는가? 교육 기회 공평이다. 교육 기회 공평을 통해 불평등을 해소하는 방안을 찾아내야 한다. 또 토지와 자본의 평등한 소유를 지향해야 한다. 이스라엘은 이런 경제법을 통해 어느 정도의 평등 사회를 달성할 수 있었을까 연구해보면 오늘날 '목표 지니계수'를 설정할 수 있으리라 본다.

이스라엘의 매 해의 생산량은 각 해에 소비될 정도의 수준이었으리라 본다. 특별히 자본 축적을 할 정도로 한 해의 생산이 많지 않게 하셨으리라 본다. 안식년에 저절로 자라난 것을 먹었다는 것은 바로 그 전 해의 소출이 이미 소비되었다는 것을 의미한다. 그렇다면 이스라엘은 특별한 사유를 가진 가구를 제외하고는 토지를 가지고 노동력을 확보하고 있었으므로 모든 가구들이 거의 비슷한 수준의 경제 형편이었을 것이니 지니계수로 본다면 거의 '0'에 가까웠으리라 본다. 그러면 부조(扶助)를 받아야 할 가난한 사람들의 비율은 어느 정도였을까?

레위인의 비율을 추정해보면 어느 정도 추정이 가능하다고 본다. 민수기 3장을 보면 20세 이상 남자의 수가 르우벤 46,500명, 시므온 59,300명, 갓 45,650명, 유다 74,600명, 잇사갈 54,400명, 스불론 57,400명, 에브라임 40,500명, 므낫세 32,200명, 베냐민 35,400명, 단 62,700명, 아셀 41,500명, 납달리 53,400명으로 합계 603,550명이었다. 반면 레위지파는 일 개월 이상된 남자가 게르손 7,500명, 고핫 8,600명, 므라리 6,200명, 합계 22,300명인데 민수기 3:39에는 오류가 있어서 이를 22,000명으로 합산하고 있다.

이스라엘의 처음 난 남자는 22,273명이었다. 이를 바탕으로 추정해 보면 레위지파를 제외한 나머지 지파의 총 남자 수는 603,550+ 20세 미만의 남자 X 명인데 이 숫자는 20세 이상의 1/3으로 추정할 때 이스라엘 12지파의 총 남자 수는 90만에서 100만 사이였다고 본다. 레위지파의 일 개월 이상 남자수가 22,000이었으니까 레위지파의 남자 수 : 나머지 열두지파의 남자 수 = 1 : 50 정도 된다고 추정한다. 여자를 포함해도 이 비례는 크게 달라지지 않는다고 가정하면 레위지파의 인구, 즉 이스라엘의 나머지 열두지파가 부양해야 할 레위지파의 인구는 이스라엘 나머지 지파의 1/50이었다. 또 이를 통해 추정해 볼 때 가난한 자, 이방인 등의 숫자도 최대 레위인의 2~3배를 넘지 않았다고 볼 수 있다. 하나님의 인구 조절과 가난한 자를 원천적으로 차단하는 제도들 때문이었다. 그렇게 본다면 이스라엘 총 인구 중 농업 생산에 참여하지 않는 가계는 약 10%를 넘지 않았다고 본다.

이를 다시 이스라엘의 생산량과 분배와 관련하여 고찰해 보자. 이스라엘 12지파의 20세 남자를 60만으로 보고 1인당 매년 10개를 생산했다고 하면 총 생산량은 6,000,000개이다. 이 중 십일조 60만 개를 제외하고 5,400,000개를 가진다. 그런데 이스라엘 나머지 지파의 인구수는 남자로만 볼 때 90만~100만, 여자까지 합하면 180만에서 200만 사이였다고 추정되는데 만약 180만이었다고 한다면 1인당 획득 개수가 3개이다. 즉 20세 이상 남성만 노동하였다고 추정하고 1인당 10개를 생산한 후 1개를 십일조로 바치고 가족들에게 6개를 주고 자신은 1개를 갖는 구조였다. 그리고 레위지파는 남자 22,000명이 600,000개를 받았으니 여자를 포함하여 1인당 12개가 된다. 이스라엘 열 두 지파에 비해 1인당 획득수가 4배에 달한다고 볼 수 있다.이를 통해 볼 때 매년 십일조를 2중으로 걷었다기보다는 1번 거둔 것만으로도 매 3년 십일조 등의 용도도 충당하고 남았을 것임을 알 수 있다. 즉 부조 대상 가구도 레위인 가구의 2~3배를 넘지 않는다고 보았을 때 충분히 매해 내는 십일조만으로 레위인과 가난한 사람들의 필요에 충당할 수 있었다. 하나님의 능력이었다.

또 당시 생활수준이 오늘날처럼 자본재가 많다든지, 상품이 많이 개발되어 있는 상태가 아니었을 것이므로 가구당 자산에서 토지가 차지하는 비율이 거의 대부분이었을 것으로 보이며 따라서 매해 소비되는 그 해의 소출이 서로 나누어지는 까닭에 토지 소유 차이 외에는 자산 차이가 존재하지 않았으리라 본다.

그러므로 희년이 되면 다시 이스라엘 전 가구의 지니계수는 '0'로 돌아오는 구조가 된다. 미래 50년 가치가 재분배되었기 때문이다. 통상적으로 이 재분배의 수혜자는 다음 세대, 즉 그 땅을 판 세대가 아니라 그 후손이었다. 하나님은 기업 무름을 통해 희년이 되기 전에라도 무상으로 친족의 도움으로 이 땅을 찾아올 수 있도록 해주셨다. 희년의 50년 주기, 즉 이 장주기는 인간 수명, 세대교체, 노동 한계 연령 등과 밀접한 관련이 있다. 이 점에서 희년은 아주 중요하다. 그러므로 이스라엘엔 단주기분배와 장주기재분배가 복합적으로 맞물렸다고 보아야 한다. 당연히 매 해의 구제 제도가 지속될 때 희년은 더욱 빛나는 제도가 된다. 단주기 구제 제도를 재분배가 아닌 분배로 보아야 한다. 분배는 생산에 기여한 사람이 받는 것인데, 레위인이 기여했고, 가난한 사람들은 생산에 기여하신 하나님의 몫을 받았기 때문이다.

희년은 과거의 관점에서 보면 단주기적 재분배로 나눠볼 수 있다. 그러나 이것은 단면적 발상이다. 미래적 관점에서 보면 이는 당연히 향후 50년의 생산 요소로써의 토지 가치를 확보하는 것이다. 그러므로 장주기적 분배다. 과거적 장주기가 아니라, 미래적 장주기다. 당시 상황에서 토지의 미래 가치 재분배는 국부 재분배의 효과를 가져온다. 50년 만에 요단강을 새로 건너가 그 땅을 재분배하는 효과가 생긴다. 그 수혜자는 미래 세대다. 다만 지계표를 옮기지 않은 이유는 오늘날처럼 부동산 등기가 활성화되지 않은 상태에서 복잡한 분쟁을 유발하지 않기 위해서였다고 본다. 그래서 상속세는 거두어져야 하고, 전 국민이 아니라 그 기본권을 가지지 못한 계층, 혹은 그 계층의 미래 세대에게 분할되어야 한다.

분할 방법은 다양하다. 교육, 주택, 건강 공급이 되어야 하는데 여기서 특히 중요한 것이 미래의 생산의 토대가 되는 지식 토지를 확보해주는 것이다. 두뇌는 바로 지식의 토지다. 아리랑당이 상속세 확보 자금으로 하위 계층 청소년의 교육, 주거, 건강 문제에 초점을 두는 이유도 여기에 있다.

요단강을 넘어 땅을 재분배했을 때 이스라엘은 지니계수 '0'에서 출발했다. 전리품도 전 국민이 공평 분배했으므로 이것도 지니계수의 상승을 가져오지는 않았다.

그런데 질병이나 여러 가지 사유로 가난한 가구들이 생겨나면 매3년 십일조로 구제된다. 토지는 똑같이 소유하고 생활수단을 공평분배 했으므로 역시 지니계수는 '0'다. 그런데 더 좋지 않은 심각한 일이 생긴 가구는 필요한 자금을 마련하기 위해 이제 토지를 팔고, 인신매매를 해야 했다. 이런 가구도 인신매매의 대가를 받고 또 매 칠년에 해방될 뿐만 아니라, 십일조 등으로 구제되어 재분배의 혜택을 받게 되니 소득차는 벌어지지 않는다. 결국 우리는 매해 지니계수 '0'를 목표로 가치분배를 실현하는 정치를 해야 한다.

그렇다면 우리도 이러한 상태를 지향해야 한다. 대통령을 각 도에서 순회적으로 선출하는 방안도 필요하다. 이스라엘에 원래 왕제도가 없었던 것을 기억하자. 이는 경제제도와도 맞물린다. 왕이 생겨남으로써 왕이 있는 수도로 모든 것이 집중하게 된다. 그래서 대통령도 지역별 순회 임명 방식이 동원되어야 한다. 하나님 중심이면서 사람들 간에는 끊임없는 나눔 형태가 정치, 경제 모든 영역에 필요하다.

아리랑당의 대표도 각 지역 대표가 순회적으로 맡는 구조를 만들어 보자. 하나님의 나라는 제국주의적이어야 하고, 그 안의 인간관계는 분권적 구조여야 한다. 하나님만 지도자이시며, 왕이시고, 인간들은 모두 형제여야 한다. 왜냐하면 하나님만 의로우시며, 인간들은 여전히 죄인의 속성을 가지고 있기 때문이다.

생산자간의 생산 요소 분배(토지, 노동, 자본), 생산자와 비생산자간의 생산물 분배가 성경 경제법의 양대구조라 할 수 있다. 이 중 전자는 자본에 있어서는 면제년법, 노동에 있어서는 안식년법, 토지에 있어서는 희년법이 적용되었는데 그 주기가 후자에 비해 좀더 장주기적이며 특히 토지는 장주기적이었다. 농경 사회에서 토지는, 현대산업자본주의사회에서는 포괄적으로 자본의 성격을 가지고 있다고 할 수 있다. 생산자와 비생산자간의 생산물 분배는 십일조, 3년 십일조 등을 통해 이뤄졌는데 전자에 비해 단주기적이다.

지대조세제는 이를 잘 반영하지 못하고 있다. 지대와 십일조는 전혀 다른 개념이다. 지대는 임대료 시장 기능을 감안하더라도 여전히 임대료 개념이고, 산전세(産前稅)개념인데 반해 십일조는 생산량에 비례한 산후세(産後稅)개념이다. 성토모의 지대조세제는 이를 혼동하고 있다. 이스라엘의 토지사용권, 토지처분권, 토지가치수익권은 모두 토지소유가구에 있었다. 희년이 되어 토지를 팔 때 그 수익권, 즉 토지가치수익권도 사적 주체 즉 그 토지소유가구에 있었다. 그러나 성토모가 주장하는 지대조세제에선 이를 공적 주체에 있다고 보고 있다. 이런 오류로 인해 지대를 국가가 환수하는 지대조세제를 실시하려는 오류를 범하고 있다.

생각해 보자. 희년이 되어 땅을 다시 돌려받은 사람이 이 땅을 다시 팔 수 있는데 그 처분 후 50년 가치를 돌려받는 자가 국가인가? 레위인인가? 그 당사자 가구인가? 당연히 그 당사자 가구다. 그러므로 사적 주체에게 토지가치수익권이 있다. 또 이 땅을 산 사람은 그 임대료(토지가치수익권)를 그 원주인에게 지불해야 했고 그 땅을 경작하여 생산량의 십일조를 하나님께 바쳐야 했다. 이를 이중과세라 말할 수 있는가? 그 땅을 판 원소유자는 자신이 받은 토지가치수익료의 십일조를 아마도 하나님께 바쳤을 것이라 추정한다. 그리고 그 외에는 그는 노동도 하지 않고 그 대가를 즐겼다. 그런데 하나님은 이를 인정하셨다. 그렇게 본다면 성토모의 지대조세제는 크게 오해하고 있다. 이를 불로소득으로 규정하고 이를 모두 국가가 환수해야 한다고 주장하기 때문이다.

따라서 지대조세제는 오류이고 대신 생산량에 비례하여 부과하는 소득세나 법인세가 더욱 성경적이며, 당연히 노동자도 자신이 받은 품삯의 십일조를 바쳤을 것이므로 이런 소득세를 부당한 것으로 봐선 안된다. 대신 희년이 되어 생산수단인 토지를 재분배하였던 것처럼 오늘날도 이에 해당하는 주요 생산수단인 토지, 자본 등을 재분배해야 할 뿐이다. 이러한 원칙 이해와 적용이 오늘날 변모된 자본주의 산업 사회, 이동이 극도로 빠른 사회, 인구 이동이 많은 사회에 적용할 수 있는 방법이다.

만약 이스라엘이 타락하지 않고 하나님의 법을 제대로 지켜 지금까지 국가가 연장선에서 유지되었다면 이스라엘의 경제 시스템은 어떤 것이었을까? 아마도 자기 토지에 기반한 농업중심경제, 또 자본재 산업도 지역분할적 형태로 이뤄졌으리라 추정하며, 오늘날과 같은 극심한 부의 불균형은 해소되었을 것인데, 특히 토지를 자본으로 확대 해석하는 방식(율법 → 은혜)이 적용되었으리라 본다.

우리는 이것을 간단히 '생활 수단  생산 수단 장단주기 복합 분배'로 정의하며 간단히 '장단주기분배론'이라 부른다. 제도는 변화하는 상황 속에서 수정되어야 한다. 한 시대에 만들어진 제도가 다음 시대에 그대로 적용되어선 곤란하다. 다만 그 기본 원칙만 추출하면서 시대에 따라 변형하면 된다.

이 기본 원칙이 무엇인가? 이스라엘은 율법을 지키므로 구원받으리라 착각했다. 예수님은 행함으로 구원받기에는 인간이 너무도 불의하다는 것을 증명하셨다. 그리고 예수님의 행함으로 인류의 문제를 풀어주셨다. 그리고 성령이 예수님의 피를 믿는 사람들에게 임했다. 성령으로 변화된 사람만이 하나님의 뜻에 맞게 살 수 있다.

경제 문제도 마찬가지다. 성령으로 거듭난 사람들만이 경제 문제를 근원적으로 해결할 수 있다. 이스라엘엔 십일조, 매3년 십일조, 면제년, 안식년, 희년 등이 복합적으로 있었는데 예수님은 이를 강조하지 않으신다. 이것도 하고 저것도 해야 하리라 말씀하신다. 예수님은 오히려 이 수준을 넘어서 가진 것 모두를 가난한 사람에게 주라 말씀하신다.

보다 복잡해진 현대 자본주의 사회에서 기독인들은 어떻게 해야 할까? 당연히 복잡한 제도를 통해서 탐욕에 절은 세계를 통제해야 한다. 그러면서도 원칙적으로 모든 것을 가난한 사람들에게 돌리는 시스템을 만들고, 또 다른 사람들이 그렇게 하도록 설득해야 한다. 국가적으로도 나누고, 개인적으로도 나누는 시스템, 사회 분위기를 만들어야 한다.

경제 문제에 있어서는 '성장과 축적'이 아니라, '끊임없는 나눔', 이것만이 모든 것의 해결점이다. 정치에 있어서는 '다스림'이 아니라, '섬김'이다. 다음 장에서 이를 구체적으로 살펴보도록 하자.

지대조세제 운동가들이 이라크 파병 반대 운동을 벌인다. 미국은 자본가의 나라다. 이들 석유 자본의 필요에 따라 이라크 문제가 더 커졌다. 즉 이라크 사태의 본질은 가진 자들의 탐욕이다. 지대조세제 운동은 지주에 대항하는 것이다. 가진 자 전체에 대한 대항으로 바뀌어야 한다. 이슬람 테러 문제도 근본적으로 자본가가 유발했다. 지주든,

자본가든 누군가 고통을 받고 있는 가난한 사람들이 있다면 그들의 것을 내놓아서 도와야 한다. 이러면 모든 문제는 풀린다. 강도를 만난 사람을 보았다면 레위인이든, 제사장이든 이 사람을 도와야 한다.

# VIII

# 장단주기 분배론의 평가 및 적용

· 8장 ·

# 장단주기분배론의 평가
# 및 적용

## 1. 장단주기분배론 평가

장단주기분배론을 공평성, 경제적 효과성, 제도 운영비용의 측면에서 각각 살펴보자. 이 세상에 존재한 어떤 경제제도보다 이 세 측면에서 장단주기분배론이 보다 탁월하다는 점을 알 수 있다.

### 1) 공평성

공평의 관건은 하나님이 주신 정당한 자기 몫을 갖는 것, 자유에 기반한 책임 존재 등이라 할 수 있다. 이 점에서 본다면 성경의 경제법은 공평성을 확보하고 있다. 그런데 여기에서 중요한 것은 정당한 자기 몫이 반드시 하나님 앞에서 살펴져야 한다는 점이다. 그렇지 못하면 공평의 기준이 무엇인가 하는 점에서 큰 착각이 일어나게 되고 그에 따라 끊임없는 분쟁과 시비가 계속된다. 이스라엘도 가나안 땅 분배에서 이 공평의 문제에 부딪혔다. 따라서 성경의 이러한 원칙을 따라가려는 장단주기분배론은 공평성에서 우수하다고 보겠다.

이스라엘이 가나안 땅을 마치 자신들의 힘만으로 얻었다고 생각한다면 이는 큰 착각임을 하나님은 지속적으로 강조하고 계신다. 하나님이 이것을 강조하는 이유는 인간들의 탐욕을 막기 위해서다. 기존 세제를 장단주기분배론식의 성경적 방법, 즉 단기적 생산물에 대한 비례세(소득세, 법인세)의 단기적 분배, 생산 수단에 대한 중장기적 100% 누진적 재분배 방식(상속세, 증여세)을 도입해 경제적 평등 사회라는 목적을 달성해야 한다.

단기적 생산물에 대한 비례세의 단기적분배는 전자는 공평하다. 국가도 한 조직이라 볼 때 이 안에서 이루어지는 생산물을 비례적으로 거두는 방식이 보다 공평하다. 그렇지 않고 지대조세제 방식으로 생산량에 상관없이 생산 전(前) 단계에서 지대 방식으로 일률적으로 거두게 되면 생산량이 많은 사람이 상대적으로 적게 낼 수도 있고, 생산량이 전혀 없는 사람이 많이 내게 되기도 한다. 이런식의 몰수 형태로 한다면 모든 사람을 게으르게 만들지만—이것이 사회주의 방식이다— 10% 정도만 떼는 방식으로 만들면 사람들은 90%를 가지기 위해 열심히 노력한다. 그리고 10%를 받는 입장에서도 생산자들이 더 많은 생산을 할수록 자신들에게 유리하기 때문에 이들의 생산 촉진을 도와주게 된다.

요셉도 이집트 땅을 시세 변동을 통해 몰수한 다음에 바로 이 방법(양측 모두에 인센티브가 주어지는 시스템이다.)을 썼다. 즉 생산 전에 일정 지대를 결정하고 내는 방식이 아니라, 생산 후에 생산량의 20%를 내도록 했다. 요즘 자본주의 사회의 인센티브제가 적용되는 방식이다. 특히 생산수단에 대한 중장기적 100% 누진적 재분배 방식은 희년 방식을 따라 목적세로 바뀌어 무산자에게 직접 지급 또는 사용되어야 하며, 각종 토지관련세도 적정 토지를(매년 전국 토지 실질 지가 평가 후 1인당 지분) 토지 무소유자에게 직접 지급되는 목적세로 바뀌어야 한다. 국가가 기업 무릎의 의무를 지닌 친족의 의무를 대신해야 한다. 상속세, 증여세, 토지세 등에서 마련한 기금을 무산 계층(계급)에게 직접 지급하는 방식도 필요하다. 이것을 최소한 50년에 한 번 정도는 실시해야 한다(이를 '희년 기금'이라 부르자). 지대조세제는 이러한 가난한 사람들에 대한 직접 지급 방식을 결여하고 있다.

이 기금을 증권화하는 방안도 필요하다. '희년 증권'이란 부르면 된다. 무산 계층, 즉 약 하위 계층 200만 가구에게 가구당 최대 1억 원 정도의 '희년증권'을 지급한다. 국가 통계의 중요성이 여기에 있다. 가구당 토지, 금융, 자산 등을 정기적으로 정확하게 통계내야 한다. 이 통계를 바탕으로 가구당 평균 자산을 계산하고 이 기준에 미달하는 세대에 그 미달분만큼 '희년증권'을 무상 공급한다. 이 증권은 증권시장에서 거래될 수 있도록 해야 한다. 유동화를 위해서다. 희년에 분배받은 토지가 사인 간 거래도 다시 유동화되는 시스템이 있었던 것과 마찬가지 원리다. 이렇게 분배된 '희년증권'을 가지고 무산자 계층은 이를 사업 자금화할 수 있다. 희년에 공급받은 토지로 다시 자영업자가 될 수 있었던 것과 마찬가지 이치다. 또 이 '희년증권'은 희년에 공급받은 토지를 필요에 따라 그 사용권자가 팔 수 있었던 것과 같은 이치다.

하나님은 결국 이스라엘 각 가구가 레위 지파를 제외하고는 자경자, 즉 요즘으로 말하면 자영업자, 기업가, 자본가가 되길 원하셨다고 본다. 그런 관점에서 본다면 평생 노동자로 사는 사람들이 자영업자가 될 수 있게 하는 방안을 가져야 한다. 현대 산업 사회에 맞게 종업원 지주제 방식을 적극적으로 도입하는 것도 필요하다. 하지만 종업원 지주제도 종업원이 최고 경영자가 되는 시스템이 있지 못하다면 무용지물이다. 또 그 회사의 주식이 적정하게 분배되지 못하는 것도 문제다. 여기에서 자본가와 노동자 사이의 분배 문제가 생겨난다. 마르크스는 이 둘 사이에서는 노동자 편을 들었다. 현대 기업들이 CEO와 노동자 사이의 연봉 차이를 지나치게 벌림으로써 큰 문제를 야기하고 있다. 경영권은 차별이 있지만, 급여 수준은 지나치게 차이가 나게 해선 안된다. 국가 전체를 경영하는 대통령의 급여가 지방 공무원의 급여와 차이가 별로 나지 않는 것과 같이 만들어야 한다.

자본주의 사회에서는 또 대자본가와 소자본가 사이의 문제가 끊임없이 발생하게 되어 있다. 이 문제에 정부가 적극 개입해야 한다. 대기업의 불공정 거래, 하도급 비리 문제, 납품 단가 문제 등이 그 대표적 사례다. 2004년의 불량 만두 사례도 이런 예다. 이렇게 해야 소규모 자영업자들이 그 기업을 영위해갈 수 있다.

레위 지파는 지주 계급으로도 볼 수 있는데 이들의 토지 지분을 나머지 열 두 지파가 갈아주고 그 생산물 중에서 십분의 일을 내어놓는 방식이었으니 일종의 지주였다고도 볼 수 있다. 결국 토지 문제에서 중요한 것은 지주의 정당한 자기 지분과 설령 그 토지 위에서 노동하지 않더라도 전체를 위한 공익적 노동의 존재 여부라고 할 수 있다. 무조건적 지대조세제 환수는 그 점에서 비성경적이라고 볼 수 있다.

이스라엘의 희년제는 어느 기간 분에 대해선 가구 자산 토지를 팔수 있고 그 대가를 그 가구 마음대로 사용할 수 있는 권한이 있었다는 점에서 완전 토지 공유제가 아니라, '가구 단위별 공유적 영구 사유제'였다고 보아야 한다. 하나님이 분배하신 것이니 다른 가구가 영구적 소유권을 주장할 수 없고 오직 그 가구의 구성원만 주장할 수 있다. 그런 점에서 본다면 완전한 토지 공유제는 오히려 비성경적이라고도 볼 수 있다.현대에선 이스라엘 당시와 달리 자본주의적 속성에 따라 집중도가 달라져 토지 가격이 훨씬 더 다양하게 되었다. 따라서 매년 실질 토지 가격 산정을 통해 무산자에게 국민 1인당 평균 지가에 해당하는 만큼을 토지나 다른 형태로 제공해주는 토지 무름 방식, 기업 무름 방식을 도입해야 한다. 원칙을 세우고 실질적 효과가 이스라엘 당시처럼 유발되도록 해주면 된다고 본다. 전국민의 경제적 평등이 그 원칙이다. 그리고 당시 이스라엘에서는 이것이 단주기적으로는 지켜지지 않아도 50년이라는 장주기에 가서는 반드시 지켜져야 했다. 이는 후손의 권리이며, 다음 세대를 보존하기 위한 하나님의 공의 장치였고 이것이 사라지면 이스라엘은 붕괴될 수밖에 없었다.

로크는 각 개인의 생명과 자산과 자유, 하나님 앞에서의 평등을 이야기함으로써 민주주의의 기틀을 만들었다. 그러나 그는 자신의 이론이 또다른 불평등주의자들인 부르주아들에 의하여 이용될 수 있는 허점을 가지고 있음을 알지 못했다. 그 최대 집단인 미국이 지금 그의 이론을 악용하여 국제 사회에서 어떤 짓을 하고 있는가를 보면 잘 드러나며 그들 내부에서도 어떤 현상이 벌어지고 있는지 보면 잘 알 수 있다.지금 정치적 자유는 만인에게 모두 평등한 것으로 여겨진다. 그래서 민주주의라고 한다. 그러나 실제는 민주주의가 아니다. 민주적 기본질서 자체가 위협받고 있다고 볼 수 있다. 왕권 신수설에 입각한 군주제가 무한정한 권력 행사를 통해 각 개인들의 생명과 자산과 자유를 제한했다면 이제는 자유주의에 입각한 부르주아들, 자본가들이 무한정한 경제력 행사를 통해 정치 권력을 역으로 제어하면서 각 개인들의 생명과 자산과 자유를 제한하고 있다.

그러나 이 문제를 마르크스식으로 해결할 수는 없다. 우리는 5년마다 대통령 선거를 치르며, 4년마다 국회의원 선거를 치른다. 즉 권력의 독점이나 후대에의 세습을 용인하지 않고 형식적으로는 누구나 공무 담임권, 참정권을 가질 수 있는 형태를 띠고 있다. 이는 민주주의의 요체다. 그러나 진정한 민주주의는 권력의 문제에서만 이렇게 해선 완성될 수 없다.왜 권력은 세습하면 안된다고 하면서 부는 세습하려 하는가? 정치 권력의 형성과정과 국부의 형성 과정은 근본적으로 차이가 있는가? 자본주의 세계에서는 암묵적으로 이 차이를 인정하고 있다. 그러나 실제 자세히 들여다보면 국가 권력의 형성 과정이나 유지, 확대 과정과 국부의 형성, 유지 확대 과정에는 유사점이 많다는 것을 알 수 있다. 이러한 점을 일부 인식하고 부의 세습을 막기 위해 상속세나 증여세를 두고 있지만, 이도 한계가 있다. 5년마다 정치 권력에 대해 다시 전 국민을 상대로 재분배를 실시하는 것처럼, 경제적 부에 대해서도 주기적으로 재분배를 실시해야 한다. 여기에서 해결해야 하는 문제는 국부의 증대, 또는 개인적 부의 증대의 형성 과정과 원인에 대한 엄밀한 연구가 있어야 한다.

마르크스는 노동자에 의해 잉여가치가 생산되고 국부가 형성된다고 보았다. 막스 베버는 자본가의 열심에 의해 국부가 형성된다고 보았다. 현대에선 소비자가 국부의 형성에 미치는 영향이 더욱 커졌다고 이야기하는 사람들도 있다. 우리의 결론은 무엇인가? 이 결론에 따라 각종 경제 정책, 정치의 틀이 바뀌게 된다. 마르크스는 그 결론에 따라 계획 경제와 프롤레타리아 독재를 주장했다. 신자유주의는 시장 만능을 외치며 부르주아의 영구 집권을 고착화한다. 제3의 길을 만들어내지만 여전히 획기적 대안으로써 자리매김한 것이 아직 없다.

우리는 잉여가치의 대부분이 하나님에 의해 형성된다고 본다. 생산의 3대 요소를 토지, 노동, 자본이라 말하지만 가장 중요한 요소를 인간들은 결여하고 있다. 가장 중요한 요소는 바로 하나님의 복이다. 인간은 약간의 투자로 그것을 누릴 뿐이다. 그러므로 그 잉여물을 가난한 자들과 나누라고 하시는 것은 하나님이 잉여물을 가진 자에게 벌금을 매기시는 것도 아니고 빼앗는 것도 아니시다. 장단주기재분배론은 이런 이해에 기반하고 있다.

잉여가치는 토지나 노동, 자본 자체에서 기계적으로 나오는 것이 아니라, 살아계신 하나님으로부터 나온다. 토지, 노동, 자본은 그 통로일 뿐이다. 하나님은 안식년에 먹을 수 있는 것들이 토지에서 나오게 해주신다고 하셨다. 하나님이 토지를 저주하시면 거기에서는 아무 것도 나오지 않는다고 말씀하셨다. 나사에서 연구한 바에 의하면 한 톨의 쌀알이 만들어지는 데 인간이 최선을 다해 노력할 때 5% 영향을 미친다고 한다. 이스라엘의 재앙은 가난한 자를 돌보지 않을 때, 하나님의 말씀을 지키지 않을 때 왔다. 최대의 잉여는 하나님의 말씀을 순종하는 데 있지, 단순한 노동에 있지 아니하다. "과도히 아껴도 가난하게 되거니와 흩어 구제하여도 부하게 되는 일(잠11:24)"은 하나님이 주관자이시기에 가능한 일이다.

성장은 분배하지 않음으로써 오는 것이 아니라 주님의 뜻에 따라 온다. 국부는 노동자나, 자본가나, 소비자 중 어느 일방에 의해 형성, 유지, 확대되는 것이 아니라 하나님의 복이 최대 요인이다. 다만 이 삼자도 어느 정도 기여하고 있을 뿐이다. 오병이어를 통해 5천명을 먹이시는 것, 베드로에게 그물 던질 위치를 말씀하시어 그물이 찢어지도록 고기를 건지게 하신 일에서 우리는 그 전형적 예를 찾아볼 수 있다. 우리는 개인적 삶에서 하나님 말씀에의 순종과 함께, 개인이 속한 단체, 기업, 사회, 국가, 세계에서의 경제적 공의를 실현하기 위해 노력해야 한다. 아리랑당은 당연히 정치적 결사체로서 정치의 핵심 영역인 경제 분야에서의 공의를 어떤 대안으로 실현할 것인지 고민할 수밖에 없다. 이와 관련하여 제시하는 것이 '장단주기분배론'이다.

## 2) 경제적 효과성

우리 아리랑당은 프롤레타리아의 독재나, 자본가의 독재 어떤 것도 반대한다. 독재는 효과를 떨어뜨릴 뿐이다. 우리는 효율이 아니라 효과를 이야기한다. 효율은 인간과 환경을 착취하는 형태이지만, 효과는 인간 존중적이며 만물을 돌보는 아담에게 주신 노동의 사명을 감당하는, 하나님을 기대하며 움직이는 창조적 노동 양식을 통해 창출된다. 30배, 60배, 100배의 결실, 효과를 거두게 하시는 분은 하나님이시다. 사람들은 하나님 앞에서 서로 사랑하며 공존하며 자신의 역량을 최대한도로 발휘해야 한다. 이를 위해선 각자가 하나님 앞에서 다른 사람의 영구적 피지배자가 되어선 안된다. 설령 잠시는 피지배자가 될지라도 그 위치는 언제든지 교환될 수 있는 구조여야 한다. 어떤 자본가의 자본 축적을 아주 짧은 단위로 재분배한다면 경영 효율이 떨어질 수 있고, 이런 열심을 가지지 않은 사람들의 도덕적 해이를 가져올 수 있다.

따라서 인생의 수명과 관련한 주기에 가깝게 분배하는 방식이 보다 유효하다고 할 수 있다. 즉 자기 인생 동안에 최대한 열심히 일하고 축적하고 경영하고 나누며 개인적 부나 국부의 확대에 기여하고 이 땅을 떠나갈 때는 이를 자기 자녀의 삶에 기여할 일정 부분 외에는 국가 전체, 국민 전체, 특히 가지지 못한 사람들에게 나누고 가야 한다 (그 부를 가장 잘 경영할 사람에게 물려주어야 한다). 이렇게 될 때, 그 자본가의 자녀의 도덕적 해이도 막을 수 있고, 또 새로이 태어나는 세대들이 다시 요단강을 넘어간 것처럼 동등한 조건에서 노력할 수 있는 기반이 생겨난다. 이럴 때 국가 전체적으로는 공정한 경쟁심이 유발되어 게으른 자나, 절망하는 자나, 타락하는 자가 없이 모두다 다시 한번 최선을 다해 자기 삶을 경주할 수 있게 된다. 국가 전체로 볼 때 모든 인간의 능력이 최대한도로 활용됨으로써 효과가 극대화된다. 하나님은 이스라엘이 이런 시스템을 유지하길 원하셨다. 그래서 이렇게 하면 만국 중에 뛰어난 지도국가가 될 수 있다고 약속해주셨다. 타국들에 비해 훨씬 효과가 큰 시스템이 바로 정치 경제적 평등 구조다.

아버지가 올림픽에 출전한 백 미터 선수이고 그 대회에서 우승했다고 그 자녀를 다시 공정한 경쟁도 시키지 않고 대회 대표 선수로 출전시키는 일은 그 나라의 육상 실력을 가로막는 행위이다. 이렇게 된다면 출전권을 상속받는 자녀는 노력하지 않을 것이고, 다른 자녀들은 아예 포기하게 될 것이기 때문이다. 이것이 거대한 부의 세습에서 이루어지는 문제점이다.

성경은 모든 것이 하나님으로부터 온다고 말씀한다. 그리고 희년법을 통해 50년마다 전체 국부를 분배해야 한다고 말씀하신다. 이 점은 국가 권력이 한 사람 대통령에 의해 유지되지 않았음을 보여주는 선거 방식이 경제적 부의 분배에도 적용되어야 함을 보여준다.즉 정치에 있어서 국가 권력의 동등한 주주로서 온 국민이 다시 한 표씩을 통해 권력을 행사하듯이, 경제에 있어서도 국부의 동등한 주주인 온 국민에게 다시 국부를 동등 재분배하는 일이 長주기적으로 반복되어야 한다는 것을 알 수 있다. 온 국민이 국가 권력의 유지를 위해 노력해서 국가가 유지되는 것처럼, 국부도 자본가나 노동자 등 특정한 사람들만이 노력해서 형성되고 확대되는 것이 아니라 전 국민이 하나님의 복 가운데서 잉여가치 생산자로서 기여하여 확대되고 유지되고 있으므로 어느 시기에 가서는 다시 동등하게 분배해야 한다는 것이다.

이는 사회주의와 다른 방법이다. 마르크스는 노동자의 잉여가치를 이야기하지만 하나님이 생산하시는 잉여가치를 인정하지 않는다. 이것이 사회주의의 불행의 원인이다. 아리랑당이 예수님의 유일한 통치를 인정하는 것과 달리 이들은 프롤레타리아의 독재를 이야기한다. 이는 불가능하다. 사람은 사람을 통치할 자격이 없다. 모두 형제일 뿐이며 오직 지도자는 한 분 하나님이시다. 이 원칙에서 벗어나는 어떤 제도도 파멸에 이를 뿐이다. 사회주의는 또 短주기적, 항시적으로 재분배하여 경영 효율을 떨어뜨리고, 게으른 자들이 무임승차하는 것을 방임하는 결과를 가져오게 한다. 마치 아이들에게 저금통을 하나 주고서 거기에서 끊임없이 하루에 동등한 액수의 용돈을 가져가도록 하는 방법이라고 할 수 있다. 이렇게 되면 용돈을 제대로 쓰려는 아이들이 많아지기 보다는 도덕적 해이가 아이들 사이에 충만하여져서 제대로 효과적으로 쓰이지 않게 된다고 본다.

사회주의의 실패는 분배자의 탐욕을 간과했다는 데 있다. 하나님을 믿지 않는, 성령 충만하지 않은, 스데반과 같지 않은 사람들에게 분배를 맡기는 것은 고양이에게 생선을 맡기는 것과 같은 일이다. 프롤레타리아 독재는 그래서 불가능하다. 독재는 오직 하나님만이 가능하시다. 어떤 인간에게도 독재의 권력이 주어져선 안된다. 인간 사이에서는 끊임없는 장단주기재분배가 이루어져야 한다. 오로지 예수님만

지도자이시고, 제자들은 모두 형제다. 아버지는 한분이시고 나머지는 모두 형과 동생이다. 인간 한계를 간과한 것이 사회주의 실패의 핵심 요인이다. 아리랑당의 핵심은 임마누엘 예수님의 통치에 대한 믿음이다. 그 믿음에 기반하여 나머지 정책들이 이루어진다. 이것이 다른 당들과의 핵심적 차이다.

자본주의는 한번 용돈을 나누어준 후에는 다시는 관여하지 않는 방식이다. 신자유주의는 특히 그렇다. 이것이 가져오는 폐해를 우리는 잘 알고 있다. 오늘날 우리 앞에 벌어지는 비극의 주요 원인이다. 왜 한쪽에서는 돈이 남아돌아 사치와 방탕으로 지새우고, 한쪽에서는 기본적 생활 수단조차 확보할 수 없어 결국 자살을 감행하고 마는가? 한반도 5천년 역사상 가족 집단 자살 건이 이렇게 많은 적은 없다. 자본주의가 가장 꽃피우고 가장 풍요한 물질적 진보를 이룬 지금 왜 이런 일들이 이 땅에 벌어지고 있는가? 정약용 선생이 애절양을 통해 비탄해하신 조선 말의 상황도 이렇지는 않았다. 그 조선은 결국 하나님의 심판을 받았고, 일제에 의해 무참히 무너졌다. 만약 이 땅의 불평등이 해소되지 않는다면 조선 말의 비극과는 비교도 되지 않는 재앙을 하나님은 이 땅 가운데 내리실 것이다. 우리는 두려워해야 한다. 이스라엘의 불평등을 심판하신 하나님이 기독인이 이렇게 많은 대한민국을 그냥 놓아두실 리 만무하시다. 이 문제에 대해 기독인들이 적극적으로 나서지 않으면 제사장에게 물으시는 책임이 떨어진다. 시민운동을 통해서든지, 정치운동을 통해서든지, 설교 강단을 통해서든지 이 문제를 해결하기 위해 최선을 다해야 한다. 어떤 하나의 운동만으로는 불가능하다.

아리랑당은 정치 운동을 통해 이 문제를 해결하려 한다. 핀란드의 국가인권위원회 의장이 이런 말을 했다. '정치가 바뀌면 가장 많은 것이 바뀐다.' 이러한 문제를 풀기 위해 우리가 생각하는 가장 바람직한 방식은 초단기적으로 나누어주거나, 영원히 나누어주거나 하는 방식이 아니라, 모든 것이 하나님의 것이라는 인식 아래 장단주기적으로 복합적으로 재분배하는 방식이다. 이는 이미 하나님께서 이스라엘을 통해 보여주신 제도다. 하나님의 말씀을 아는 것처럼 이야기한 막스 베버나 많은 부르주아 이론가들이 이런 제도를 무시했다. 마르크스도 성경을 읽었음에도 불구하고 이런 방식으로 경제적 정의를 세우지 않아 큰 혼란을 야기시켰다.

부의 분배에 있어서 가장 중요한 것은 주기의 적정성이다. 이는 수명과 관련해서 고려되어야 하며, 또 인생의 생존 조건과 관련지어 생각해보아야 한다. 우리는 한 끼를 먹지 않아도 움직이기가 힘이 든다. 또 길어야 70~80년을 이 땅에서 살다 간다. 그리고 보통 30세 정도에 자녀를 낳아 기른다. 이런 생존 주기가 부의 재분배와 관련하여 고려되어야 한다.

성경의 십일조는 이런 점에서 유용한 방식이다. 매 3년마다의 십일조를 통해 가난한 자들, 즉 경쟁에서의 패배자들, 낙오자들을 보호했다. 또 7년마다 실시되는 면제년법을 통해 재구조가 이루어졌다. 그리고 그 패배자들의 2~3대 후손들은 50년 만에 다시 공정한 재분배를 받아 새로운 경쟁 대열에 뛰어들게 해주었다. 경쟁과 패배와 승리와 패배자에 대한 보호와 승리자를 통한 전체 경영과 효과 증대가 공존하는 시스템이다. 이런 복합 구조를 통해서 이스라엘의 전체 국부는 키워졌고, 개인들의 삶도 계속 증진되었다. 공정 경쟁에서의 패배자는 패배의 결과를 자기 인생 동안 맛보게 됨으로 도덕적 해이가 생겨날 수 없다. 그러면서도 재도전을 위한 기회가 제공되었다. 그래서 이들에게도 기본적 생존에 필요한 요소들은 제공되어야 했다. 그들은 최소한의 생존에 필요한 물자를 사회적으로 공급받을 권리가 주어졌다. 재도전을 위한 기회 제공을 받았는데, 기업 무름의 제도를 통해서다. 친족이 일종의 한 팀이 되어 자기 팀의 구성원의 패배를 구원해준다. 철저한 팀제 운영이었다.

그런데 하나님은 이 구원자에게 복을 주신다. 작은 팀들이 활성화되고 살아나면 이스라엘의 좀더 큰 팀들, 즉 지파들이 활성화되며 이를 통해 이스라엘 전체가 활력을 얻고 국부가 키워지는 시스템이다. 개인과 가족과 친족과 사회, 국가가 유기적으로 연결되어 서로 경쟁하고 보호하고 키워가는 방식이다. 이것이 바로 하나님의 나라다. 경쟁의 목적이 자신의 나라에 있지 아니하고 하나님의 나라에 있다. 그러나 지금 신자유주의가 내세우는 무한경쟁의 목적은 하나님의 나라에 있지 아니하다. 하나님의 나라를 먼저 구하지 아니하는 어떤 것도 결국은 망하게 되어 있다. 사회주의가 먼저 망했지만 이젠 자본주의의 차례다.

경쟁 자체가 나쁜 것은 아니다. 그러나 이 경쟁이 공정한 경쟁이어야 한다. 그리고 그 패배자를 보호해야 하며 재도전할 수 있는 기회를 제공해야 한다. 그리고 그 후손은 다시 승리자의 후손과 공정한 조건에서 재경쟁할 수 있도록 해주어야 한다. 그렇게 하지 않는다면 인류사회는 파괴된다. 최선의 경쟁은 사랑의 경쟁이다. 사랑을 위한 경쟁, 의를 위한 경쟁만이 모든 것을 평화하게 만들고 가장 큰 효과를 발휘한다.

그러나 지금은 공정 경쟁 자체가 존재하지 않는다. 출발 조건이 다른데 어떻게 공정 경쟁이라고 할 수 있으며, 그 패배를 인정하라는 말인가? 게다가 이 불공정 경쟁에서 패배한 패배자가 설 곳이 없으며 패배자의 생존 조건이 거의 박탈되는 상황이라면 이 패배자들은 완전한 절망에 빠져, 자살을 하거나 때로는 살인 등의 무자비한 짓도 저지르게 된다. 이것이 오늘날 우리가 보고 있는 자본주의 세계의 암흑이다. 이에 우리 당은 하나님의 말씀에 입각하여 부의 장주기적 공평 재분배를 주요 정책으로 삼고자 한다. 한 소녀가 벼랑 끝 절망 속에서 자살했다. 이같은 절망으로 어딘가에 또 죽음을 고민하는 친구들이 있다. 근본적 해결책은 '장단주기재분배론'이다. 부모의 처지와 상관없이 청소년들이 학습, 주거, 건강권리를 가져야 한다. 정약용 선생의 애절양과 같은 모습이 벌어지고 있는 현실. 바로 이 일을 해결하기 위해 무너진 사람들을 위한 아리랑당을 만들려고 한다.

우리는 아리랑당이다. 함흥 아리랑을 부르게 만든 어랑이의 딱한 사정은 오늘날도 계속되고 있다. 우리의 어깨가 무겁다. 하나님은 우리에게 엄중한 책임을 물으실 것이다. 오늘 우리는 창당을 하고 선거에 나가고 정책을 홍보하고 집권하고 정책을 실현하게 된다. 우리는 우리의 갈 길을 간다. 다시는 이런 절망들이 없도록 우리는 죽을 힘을 다해 뛰어야 한다. 이 나라에만 이런 시스템을 만들 수는 없다. 세계는 얽히고 설켜 있다. 땅끝까지 이르러 주님의 증인이 되는 일이다. 무한경쟁의 세계화가 아니라 하나님의 나라의 세계화다. 남들이 무어라 하든 우리는 불구덩이로 뛰어들어 우리의 갈 길을 간다. 주님이 우리를 지켜주실 것이다. 그러나 설령 그 길에서 주님의 구원이 없으시더라도 우리는 주님의 열정을 본받아 우리의 십자가를 지고 이 길을 갈 것이다. 이 소녀의 한을 가슴에 안고.

## 3) 제도 운영비용

장단주기 분배론에 입각한 정치 공학은 제도 운영비용에 있어서 기존 시스템을 그대로 유지하기 때문에 추가 비용이 들지 않는다. 특히 국세청 전산화 시스템(TIS)이 완비되고 있고, 갈수록 국가 통계가 완전하게 되는 형태로 가기 때문에 제도 운영비용을 절감할 수 있다.

조세 제도는 국민적 저항을 새롭게 불러 일으켜서는 안된다. 장단주기분배론은 기존 세제를 개선하는 형태이면서도 그 의미를 철학적, 신학적으로 재해석하고 또 개선 방향성을 지속적으로 제시한다는 점에서 저항을 줄이고 국민 모두가 동참하는 구조를 만들어낸다. 특히 누구라도 이 시스템에서 손해를 보는 사람이 없고 이 시스템을 통해 언제라도 위기 상황에서 도움을 받을 수 있기 때문에 국민들의 납세 의욕은 더욱더 높아질 것이고, 이를 통해 집행된 재정을 통해 국민적 생산 능력이 확대됨으로써 더욱더 세수가 늘어나게 되는 지속적 '윈윈(win-win)' 시스템을 지니고 있다. 무엇보다도 장단주기분배론을 통해 국민들은 서로 사랑하게 된다. 서로가 서로에게 힘을 주는 체제가 형성된다. 그리고 애국심이 커지게 된다. 세계 만민을 사랑하게 된다. 이는 국제 사회에서 지도력을 확보하게 만들고 하나님의 복음을 세계에 전하는 대로를 형성시켜 준다. 미국과 같은 패권주의 방식이 아니라, 섬기는 지도국가의 모습, 하나님이 원하셨던 참 이스라엘의 모습을 만들어낼 수 있다. 또 국가 내 범죄는 현저히 줄어들게 됨으로써 불필요한 재정 지출이 줄게 된다. 이런 점들이 바로 제도 운영비용을 현저히 절감하게 만드는 장점이다.


## 2. 장단주기분배론에 입각한 정치 공학

누구에게서 어떤 주기로 거두어서 누구에게 어떤 주기로 나누어줄 것인가 하는 점이 장단주기분배론에 입각한 정치 공학의 핵심이다.

성경에서는 국가가 거두어서 나누어 주었다기보다는 개별적으로 나누어준 형태라고 본다. 오늘날은 보다 복잡한 사회가 되어서 이런 방법만으로는 원활한 분배가 어렵다. 따라서 개별적으로도 기부 등을 통해 이런 장단주기분배가 이루어져야 할 뿐만 아니라, 국가 전체적으로도 적극적으로 이 분배 과정에 참여해야 한다.

분배 영역은 현 시대 상황에 맞게 주거권, 건강권, 교육권 등을 중심으로 이루어지면 된다고 본다. 주거권은 희년과도 밀접한 관련이 있고, 건강권은 단주기적인 십일조 분배 등과 관련이 있으며, 교육권은 자본주의 체제에서 인적 자원의 개발이 개인들에게 있어서 가장 중요한 자본적 요소라는 점에서 다시 장주기적 희년법과도 관련이 있다고 볼 수 있다.


## 1) 상속, 증여세 누진 강화

장단주기분배의 재원 확보는 다양한 세금을 통해 이루어지는데 상속세, 증여세 등 자산에 대한 것은 장주기적 분배로 그리고 소득세, 법인세 등 단주기적 생산물에 비례한 것은 단주기적으로 분배한다.

이에 대해 의견이 분분할 수 있다. '내가 번 돈인데 왜 이것을 빼앗아 가냐'고 말하는 사람들이 있을 수 있다. '피땀 흘려 번 돈인데 금쪽같은 내 자식에게 물려주어야지 왜 피도 섞이지 않은 생면부지의 사람들에게 이것을 주어야 하냐'고 말하는 사람들도 있을 수 있다. 이들 중에는 기독교인들도 있을 것이고, 비기독인도 있으리라. 비기독인의 이야기는 그만 하자. 옳은 것은 옳은 것일 뿐이다. 중요한 것은 주님의 말씀이다. 로크는 옳은 것을 옳다고 말해서 군주의 권력을 시민에게 돌려놓았다. 그 핵심에는 성경 말씀이 있다. 그래서 우리도 로크의 방법을 따른다.

그럼 주님은 무어라 말씀하실까? 어떤 부자 청년이 자신의 의를 자랑했다. 영생을 얻는 길에 대해 여쭈었다. 예수님은 이 청년을 칭찬하셨다. 그리고 마지막으로 두 가지를 말씀하셨다. '네 가진 것을 모두 팔아 가난한 자들에게 나누어주고 나를 좇으라.'

경제 활동은 왜 이루어지는가? 생활 수단을 확보하기 위해서다. 생활 수단을 왜 확보하려고 하는가? 살기 위해서다. 이 삶은 영생으로도 이어지길 원한다. 그래서 진시황은 불로초를 찾았다. 노동은 아담에게 주어진 권리이자 의무다. 그러나 아담의 타락 이후 이 활동에는 상당한 저주가 끼어들었다. 아담의 탐욕이 선악과를 먹게 했고, 그는 저주를 받았고 그의 후손들은 더욱더 탐욕스러워졌고 동족 살해의 죄까지 저지른다. 먹고 살기 위한 경제 활동이 탐욕으로 범벅된다. 이제는 왜 경제 활동을 하는지 이유조차 모른다. 아예 이것 자체가 게임이 되었다. 무한경쟁의 게임을 즐긴다.

거대 자본가들은 자신이 가진 자산을 그 입과 그 몸으로 다 소비할 수 없다. 그럼에도 그들은 왜 끊임없이 확장하려 하는가? 바로 탐욕이 그 설명이 된다. 아담의 탐욕이 이들의 가슴 속에 자리잡고 있다. 사도 바울이 그토록 절망한 죄악의 뿌리, 사탄의 사주가 그 속에 도사리고 있다. 바로 예수님의 나라와 예수님의 의를 구하는 것이 아니라 자신의 나라를 구한다. 아담의 선악과를 통해 자신의 나라를 만들고 싶었다. 사탄은 이것을 원했다.

사탄은 자신의 나라를 만들어가고 있다. 그러나 이미 예수님에게 패했다. 아직도 이 땅에는 자신의 나라를 만들어가고자 하는 이들이 있다. 타워팰리스에는 이런 사람들이 많다. 아산 탕정 삼성시는 무엇을 지향할까? 자신의 나라를 만들려는 자들은 끊임없이 세상을 혼란으로 몰아간다. 히틀러, 스탈린 등이 대표적이며, 박정희, 전두환 등이 여기에 해당한다. 그래서 사도바울은 바울파를 경계했다. 오직 주님파, 예수님파만이 있어야 한다. 아리랑당은 사도 바울을 자랑하지도 누구를 자랑하지도 않는다. 오직 예수님을 자랑한다. Immanuel Reign Party.

왜 주님은 무엇을 먹을까 무엇을 마실까 염려하지 말라 말씀하셨을까? 하나님은 왜 우리에게 삶을 주셨을까? 그의 나라와 그의 의를 구하도록 하기 위해서다. 이렇게 할 때만 다른 모든 문제가 풀린다. 즉 인간의 모든 활동의 주인이 되는 탐욕에서 벗어나게 된다. 해탈은 면벽해서 이루어지는 것이 아니라 먼저 그의 나라와 그의 의를 구하는 데서만 이루어진다. 이 길을 통해서만 영생이 확보된다. 경제 활동을 통해서는 생명 연장의 꿈이 이루어질 수 없다. 오히려 나눔으로써, 그리고 주님을 따름으로써 생명 연장의 꿈이 이루어진다. 그래서 우리는 상속세, 증여세를 천국으로 가는 전환이며 예수님을 따르는 기초라고 말한다. 아리랑당의 정치는 영생을 얻게 하는 정치다.

특히 기독인들에게 말하고 싶다. 가난한 자들이 누구인가? 이들이 예수님의 피조물 아닌가? 그들의 아버지가 누구인가? 하나님이시다. 그럼 자신은 예수님의 희생으로 영생을 얻었다고 하면서 정작 그 자신은 예수님의 자녀를 위해 무엇을 희생하는가? 그 가진 재산도 내어놓지 못하는가? 그래서 그에게는 영생이 있을 수 없고 영벌만이 있을 뿐이다. 지극히 작은 자에게 하지 않는 것이 곧 예수님께 하지 않은 것이라고 영생의 주관자께서 말씀하신 부분이 그의 성경에는 빠져 있지 않으리라.

기존 세제를 개혁하면서도 상속세, 증여세 부분을 획기적으로 변화시킨다. 성령의 검, 구원의 투구, 믿음의 방패 등등. 싸움에는 여러 무기가 필요하다. 경제 현장에서정의의 싸움을 벌이는 데 한 가지 무기만을 가지고 하겠다는 것은 바람직하지 못하다. 다양한 전술 전략이 필요하다. 모사가 많으면 경영이 선다고 했다. 하물며 수단이 한 두 가지여서는 곤란하다.

세제도 다양해야 한다. 공격용 세제, 방어용 세제. 큰 원칙은 이렇다. 하나님의 나라를 지향한다. 경쟁하게 한다. 가장 능력 있는 사람이 경영하게 한다. 재경쟁하게 한다. 패배자를 보호한다. 사도 바울의 달음질에 대한 해석을 기억하자. 세제는 바로 이러한 원칙을 중심으로 다양하게 그리고 유기적으로 결합되어야 한다.

조세는 재정 정책과 긴밀하게 연계되어야 한다. 누구에게서 거두어서 누구에게 쓸 것인가가 대원칙을 따라 유연하게 결정되어야 한다. 공룡의 멸종은 유연함의 상실이 원인이었다. 세계는 변한다. 그래서 수단은 유연한 수정을 반복해야 한다. 모택동은 이를 잘 이해했고, 그래서 중국은 아직도 그 길을 가고 있다.

안식일에 대한 오해가 예수님을 정죄했다. 안식일은 사람을 위해 있다. 경제는 사람을 위해 있다. 예수님은 죄인을 위해 오셨고, 가난한 사람들에게 복음을 전하셨다. 건강한 사람에게는 의원이 필요없다. 무너진 사람을 돕는 경제 정책, 이것이 복을 받는 지름길이다. 경제의 주관자는 하나님이시라는 믿음이 필요하다. 이 믿음은 행함으로 나타나야 한다. 그렇지 않으면 야고보의 비판을 받게 된다. 근심없는 성장은 바로 '나눔'에서 온다. 사람들을 부하게 하시되 근심을 겸하여 주지 않으시는 분은 바로 하나님이시다.

보물을 하늘에 쌓으라고 하셨다. 어떻게 이게 가능한가? 외환보유고가 커지면 대한민국이 안전한가? 97년의 금융 위기는 외환보유고가 작아서 왔는가? 진정한 외환은 하나님 나라의 화폐다. 어떻게 이를 확보할 수 있는가? 잠언 19장 17절에 그 답이 있다.

> 가난한 자를 불쌍히 여기는 것은 하나님께 꾸이는 것이니, 그가 그 선행을 갚아주시리라(잠19:17)

조지 워싱턴이 그려진 화폐로는 위기를 완벽하게 막을 수 없다. 로마의 화폐는 사라졌다. '가이사의 것은 가이사에게 하나님의 것은 하나님에게!' 미국의 패권은 소멸하게 된다. 그러나 하나님의 패권은 영원하시다. 대한민국의 영원성은 바로 하나님 안에서만 가능하며 이를 위해 가난한 사람들을 돌보아야 한다. 그리고 예수님을 좇게 해야 한다. 후자는 '전도의 미련한 것'으로, 그러나 전자는 '설교와 강력한 제도'로 이루어져야 한다. 모든 세제와 재정 집행은 바로 이런 원칙을 따라 만들어지고 실행되어야 한다.

현 세계 최고의 부자 빌 게이츠는 아리랑당의 장단주기분배론의 옹호자가 될 것이다. 그는 자신의 세 자녀들에게 1천만 달러만 남기고 나머지 수십 조 원의 재산은 사회에 환원하겠다고 했다. 그의 이야기 중 주목할 부문은 아이들의 인생과 잠재력은 출생과 무관해야 한다고 말한 부분이다.

현 상속세 관련 조항 중 주요 공제 부문과 세율중에서 우리는 배우자 공제 한도는 현행대로 5억원을 유지하고 자녀 공제 한도는 자녀 1인당 현행 3천만 원에서 1억원이나 그 이상으로 대폭 상향할 것이다. 거의 자녀 1-2인 밖에 낳지 않는 현실에서 현행법은 탈세를 조장하고 있다. 자녀를 더 많이 나으면 더 많이 공제받은 구조를 만들어야 한다. 출산율 저하를 막는 길이기도 하다. 그리고 가난한 사람들에게 증여한 것, 상속한 부분은 완전 공제한다. 가난한 사람들의 구체적 기준, 대상이 사회의 여건에 따라 잘 마련되어야 한다.

이에 해당되지 않는 경우엔 다음과 같이 누진하여 거둔다. 이 기준은 경제 상황에 따라 증대시킬 수도 감할 수도 있다. 또 하위 계층을 위해 쓴 자금에 대해서는 100% 공제한다. 이런 데만 사용되면 국가가 직접 나서서 운용할 필요가 전혀 없다. 국가는 방향만 정해주고 감독해도 된다. 토지 보유에 대한 세율은 대폭 강화한다. 토지 평가를 훨씬 더 치밀하게 하고 이를 기준으로 국민 기초 생활에 해당하는 일정 수준 이하는 완전 공제하고 일정 부분 이상은 누진 강화한다. 토지 가치 증대는 여러 요인이 있다. 사회가 만들어낸 것, 개인들이 만들어낸 것 등 다양하다. 그러나 여기서 잊지 말아야 할 것은 이 모든 것은 하나님의 복 위에 기반한다는 점이다. 가나안 사람들을 쫓아내신 하나님이 이스라엘도 동일한 이유로 쫓아내셨고, 사람이 거할 수 없는 곳으로 만드셨다.

인구가 많이 모이면 당연히 지대가 상승한다. 그런데 여기서 중요한 것은 왜 인구가 많이 모이게 되었는가 하는 점이다. 정부 개발 정책 때문일 수도 있고, 집중하려는 자본주의의 당연한 속성에 의해 그럴 수도 있고, 또 기존 그 지역에 있는 사람들의 노력에 의한 것일 수도 있다. 이 모든 것도 하나님의 허락하심 없이는 불가능하다. 참새 한 마리의 일에도 관여하시는 하나님이시다.

똑같은 상황에서 출발해도 아파트를 어떻게 관리하느냐에 따라 10년 뒤에 그 건물의 가치가 달라지는 것과 같다. 이 건물의 가치가 토지의 가치에도 영향을 미친다. 똑같은 거리라도 그 지역의 사람들이 얼마나 서로 노력했느냐에 따라 거리의 가치가 달라질 수 있다. 이로 인한 지대 상승은 인정되어야 한다. 마치 국가도 그 국민들의 노력으로 인해 화폐 가격이 달라지듯이. 그러나 이것도 역시 국제 사회에서 거둔 것이기에 국제 사회에 재분배되어야 하지만 모두 다 그렇다고 할 수 없는 것과 마찬가지다.

이 점에서 지대 상승이 모두 사회 전체의 것이라고 보는 것은 타당치 않다. 동심원적 나선적 복합 구조적 관점에서 보아야 한다. 따라서 개인과 거리, 동, 구, 시, 광역, 국가 차원으로의 재분배가 필요하다. 이는 이스라엘 전쟁의 법칙을 적용하면 바람직하다고 본다. 탈취물 중 전쟁에 참여한 사람들이 50%, 참여하지 않은 사람들이 50%를 가져가는 것처럼. 지대 상승의 주체가 누구였는가에 따라 위 방식에 따라 분배해야 한다. 그러나 생각해보라. 전쟁의 승패가 누구에게 달려 있는지. 그러므로 탈취물, 잉여물을 서로 더 많이 가지려고 하는 자는 하나님을 두려워해야 한다.

또한 택지 소유 상한제를 도입해야 한다. 그리고 정부는 토지 매각을 중단해야 한다. 어차피 국부가 증대될수록 토지 가치는 상승할 수밖에 없다. 완전한 지대조세제를 실현하기 위해서는 많은 장벽에 부딪힐 수밖에 없다. 몇 푼 안 되는 재산세 상승에도 강남, 서초구민들이 보이는 반응을 보라. 대한민국의 현실에서는 토지 공유 확대와 토지 보유세 강화 정책이 함께 사용되어야 한다. 토지 공유는 주로 거점 중심부에서 이루어져야 하고 이 곳에 집중적으로 친환경적이고 저렴한 영구 임대아파트를 건설해야 한다.

유용한 물품에 대한 부가가치세는 폐지되어야 한다. 사치와 향락 부분에 대한 특별 소비세는 강화해야 한다. 담배 전매납부금 등을 대폭 강화하여 담배 판매로 인한 이익이 없도록 해야 한다. 담배소비세도 대폭 강화해야 한다. 대신 흡연자들의 건강을 위한 지원, 금연을 위한 지원을 강화해야 한다. 흡연자들에게 좋은 음식물들에 대한 세액을 완전 공제하는 것은 당연하다.

환경 파괴 물품에 대한 세도 대폭 강화해야 한다. 환경 보존 산업, 친환경 산업, 환경 복원 산업 등에 대한 세제 지원도 필요하다. 예를 들어 공해를 유발하는 경유 자동차에 대해서는 세를 강화하고, 경유에 대해서도 그렇게 한다. 화물차 등이 친환경 연료를 사용하도록 유도한다. 그런 제품을 개발하는 회사에 대해선 적극적으로 지원한다. 그런 제품에 대해서도 부가가치세를 물리지 않는다.

법인세나 소득세는 벌금이 아니다. 세율 조정은 필요할 수 있다. 그러나 그 잉여가 하나님으로부터 나온 것이므로 같이 나누는 정신이 반드시 필요하다. 당연히 국제 사회에도 나누어야 한다. 특히 수출에 의지하는 대한민국은 당연하다. 대신 이 나눔이 가난한 자에게 가는 구조를 만들어야 한다. 다시 갚을 수 있는 사람에게 주지 말고 되갚을 수 없는 사람에게 주라고 하신 주님의 말씀을 적용해야 한다. 대한민국이 가난한 사람들을 향한 복음의 국제적 전진 기지가 되어야 한다. 물품만 수출하는 나라가 아니라 하나님의 복음의 수출 국가가 되어야 한다. 이것을 하지 못하면 이제는 수출 길도 막히는 재앙이 이 땅 가운데 오게 될 것이다.

그래서 이 땅 가운데 진정한 기독 정당이 필요하다. 아리랑당은 이 일을 하기 원한다. 아리랑당의 정치는 그래서 선교적이다. 땅 끝까지 이르러 주님의 증인이 되고자 한다. 필리핀 아리랑당, 미국 아리랑당, 일본 아리랑당, 페루 아리랑당, 스리랑카 아리랑당, 이라크 아리랑당, 코소보 아리랑당, 미얀마 아리랑당, 체첸 아리랑당, 아프카니스탄 아리랑당, 르완다 아리랑당 등을 만들어가고자 한다.

## 2) 빈곤 계층을 위한 학습권, 주거권, 건강권 지원

여기에서 확보된 재정을 통해, 하위 30~50%의 가계와 그 청소년들을 위한 교육, 건강, 주거비용으로 사용한다.

### a) 집중지에 친환경적이고 저렴한 임대 아파트 공급

미성년 자녀를 양육하고 있는 빈곤 가정에는 양질의 무상 주택과 생활수단을 무상 공급한다. 여기에서 아주 중요한 것이 집중지에 친환경적이고 저렴한 영구 임대 아파트를 공급하는 것이다. 빈곤 계층이 생활 수단을 확보하기 용이한 곳은 당연히 집중지다. 이 근처에 다양한 종류, 주기에 따라 양질의 임대아파트를 공급함으로써 이들이 하루빨리 생활 수단의 문제, 생산 수단의 문제에서 회복되어야 한다. 생활 수단이나 생산 수단의 공급 없는 부채 탕감은 조만간 다시 신용 불량자를 양산할 뿐이다. 또 이것만이 최근 문제가 되고 있는 인구 감소를 막을 수 있는 길이다. 이는 또한 중심지의 아파트값 폭등으로 인한 사회 문제를 해결할 수 있는 길이기도 하다.

그러나 기존 정부 정책은 임대아파트를 집중지에서 멀리 떨어진 곳에 열악한 수준으로 지었기 때문에 그곳에 입주한 빈곤층이 다시 사회 주역으로 등장하기에 어렵게 되어 있고, 특히 그들의 자녀들의 경우는 더욱더 그렇다.

### b) 도서관, 기숙사, 식사, 학비 제공

빈곤 계층의 자녀들이 자기 개발을 통해 인적 자본을 확보할 수 있도록 정부가 적극적으로 개입해야 한다. 이를 위해 각 동마다 양질의 도서관, 각 학교마다 기숙사 등을 신설하고 여기에서 식사까지 무료로 제공한다. 빈곤 대학생을 위하여 생활 수단을 무상으로 제공하는데, 이는 3년 십일조로 가난한 자들을 돌본 시스템에 해당한다. 이것이 어렵다면 등록금 및 생활비 후불제를 도입한다. 이는 인재양성지원 정책이기도 하다. 신학기에 등록하려는 대학생마다 집안 형편에 따라 여러 어려움을 겪는 학생들이 많이 있다.

국가와 대학은 공조하여 빈곤 대학생의 등록금 후불제를 도입할 필요가 있다. 더 나아가 아예 국가가 등록금을 부담하는 제도도 필요하다. 이 때의 재정은 '희년 기금'을 이용할 수도 있고, '매3년 십일조 기금'과 같은 방식으로 소득세나 법인세 중 일부를 축적하여 사용해도 된다.

빈곤 대학생이 원할 경우, 무보증, 무이자로 국가에서 빌린 돈으로 등록금을 내고 학업을 마친 후 직장에 취업한 이후에 갚는 제도인데, 그 때도 여전히 가난하거나 취업이 되지 않는 경우에는 등록금 반환을 유예하거나 면제하는 방안이다. 이는 면제년 법을 적용한 시스템이다. 또는 아예 국가가 등록금의 80%를 부담하고 학생이 20%를 부담하는 시스템도 만들 수도 있다. 졸업생은 후에 등록금 외에 국가에 세금을 내고, 학교에는 발전 기금을 자발적으로 내는 구조를 만들어내면 된다. 이는 이스라엘의 면제년을 적용한 법이다. 매 7년에 형제가 빌려간 것을 그 형제가 가난한 경우에 탕감해준다. 하나님이 이런 탕감자에게 복을 주신다고 하셨다.

빈곤 학생들이 학생 시절 등록금과 생활비 부담없이 공부에 전념할 수 있는 것은 그 능력 개발에 도움을 주는 것이며, 결과적으로 국가 경쟁력 강화에 도움이 되어 세금 징수 확대를 가져오며, 대학도 인재 배출을 통한 학교 질 제고, 학교 발전 기금 자발적 모금 확대를 도모할 수 있기에 아주 유용한 제도다. 현재 국민 중 30%는 저소득층이기에

20~30%의 대학생 정도는 이 혜택을 받도록 보장하는 것이 요청된다고 본다.

주님은 가난한 이들을 돌보는 이들을 돌보신다. 대학과 국가는 대학 내 기숙사 시설을 확대할 필요가 있다. 빈곤 대학생이 원하는 경우 누구나 무료로 이 시설을 이용하고 그 비용은 등록금 후불제처럼 처리하면 된다. 국가에서는 국채 발행, 대학 교육세 징세 등을 통해 이 비용에 소요되는 기본 자금을 마련할 수도 있다.

우리 아리랑당은 이러한 정책을 기본 정책으로 추진할 계획이다. 이 후불제는 중고등학교에서도 요청한다면 당연히 적용되어야 한다. 여기에 소용되는 기금은 국가적으로 약 10조원 정도면 가능하다고 본다. 몇 년의 사이클을 거치면 이 기금 자체가 확대되어 자체적으로 운영가능하다. 이는 믿음과 사랑으로만 실행할 수 있는 법이다. 만약의 경우 능력이 되는데도 갚지 않는 사람들이 발생할 수 있다. 하지만 이런 염려는 구더기 무서워 장 못 담그는 것과 같다. 보다 선량한 많은 사람들이 있다. 또 설령 일부 사람이 능력이 있어도 갚지 않는다 하여도 대부분은 세금으로 환수될 수밖에 없다. 1인당 국민 조세 부담액이 연간 수백만 원을 넘는 상황에서 수십 년 동안 국가에 내는 세금을 합산해 보면 등록금 및 생활비 후불제가 무리수를 두는 정책이 아님을 알 수 있다.

교육 공평을 통해 빈곤의 세습을 막는 것이 지식 정보화 사회라고 하는 21세기에 걸맞는 공평하고 정의로운 정책이다. 특히 인적 자원이 가장 중요한 자원일 수 밖에 없는 대한민국의 현실 속에서 교육 공평화 정책은 국가 정책 중 가장 중요한 정책이다. 위에서 본, 고급 노동자의 필요성을 잘 알고 있는 한 자본가의 앞잡이의 이야기를 들어보자. 가진 것이 몸뚱아리 밖에 없는 노동자, 가난한 사람들의 절규는

들기 싫어하면서도 그리고 그들의 자녀들이 더 이상 태어나지 않는 인구 감소 국가를 어떻게 바꾸어야 할 지 모르는 그도 노동자의 중요성은 잘 알고 있다.


### 3) 빈곤 계층 '희년 증권' 지급

이미 앞에서 얘기한 일명 '희년 증권'에 관해 좀더 자세하게 논해보도록 하자. 빈곤 계층 가구에 무상 분배하는 것인데, 이 주기는 50년 정도에 한번씩 한다. 성경에서 희년이 50년 마다 있는 것은 인간의 수명, 노동 기간 등과 밀접한 관련이 있다. 보통 20세에 노동을 시작하여 60~70세 사이에 노동을 마치고, 70세 정도를 넘어서면서 평균 수명이 다하는 주기를 인간 세계가 공통적으로 가지고 있기 때문이다. 산업 사회, 자본주의 사회인 현재도 역시 이 인간 생명 주기, 노동 주기는 크게 변화하지 않았다. 고령화 사회로 접어들고 있지만, 그 줄기는 대동소이하며, 고령화 사회에 맞게 다시 적용하면 된다.

그런데 여기서 아주 중요한 것이 바로 이 주기의 적정성이다. 경제 활동에서 가장 중요하고 비중이 큰 것이 이런 노동 주기, 생명 주기이다. 희년증권이 적정한 노동주기, 생명주기와 관련하여 분배됨으로써, 도덕적 해이의 문제, 영구적 가난의 대물림의 문제가 동시에 해결된다는 점이다. 사회주의와 자본주의의 문제를 동시에 해결하게 된다. 경쟁과 책임, 패자 부활의 모든 요소를 갖춤으로써 한 사회의 생산성이 극대화된다.

부모 세대에서 실패한 것이 50년 정도 유지됨으로써, 그 쓴 맛을 이 기간 동안 맛보게 되는데, 그들의 자녀도 이 기간을 통해 타산지석의 교훈을 얻게 된다. 즉 자신들이 다시 자본을 얻게 되었을 때 이 실패를 하지 않게 되는 효과를 가져오게 된다. 지급 기간 방식은 여러 가지를 생각해볼 수 있다. 통계를 계속 내다가 극심한 빈부 격차가 생긴 가구에 대해선 중간에라도 이를 다시 지급할 수 있다. 이는 전문가들과 다양한 시민 세력, 양심 세력 등으로 구성된 '희년 기금 관리위원회'에서 하면 된다.

이스라엘의 경우 50년 주기 사이에도 친족이 능력이 되는 경우 자원해서 동족의 기업 무름에 참여하게 했던 방식을 원용해 그 나눔 정신을 이 기금을 통해 실현한다. 농경 사회인 옛날의 이스라엘에선 각 지파별, 친족별로 이 기업 무름이 존재했지만, 현대 산업 사회의 특성상 국가 단위로 조정하는 것이 오히려 타당하다고 본다. 자본주의 사회는 보다 광역적이며, 국가 단위적인 특성이 많기 때문이다. 또 인구 이동이 극심하며 인구 집중에 의해 도심 지역이나 수도권 등이 과밀해지는 것은 피할 수 없는 경향이기 때문에 국가적, 광역적으로 해결하지 않으면 곤란한 문제가 많다. 지방자치단체 중심으로 이를 해결해도 된다. 다만 여기에 필요한 재원은 역시 중앙 정부가 거둬들인 국세 중심일 필요가 많다. 하지만 국세와 지방세로 나누어 적절한 비율에 의해 조정할 필요도 있다. 이런 상세한 부분은 시대에 맞게 조정하면 된다고 본다.

특히 생산수단에 대한 중장기적 100% 누진적 재분배 방식은 희년 방식을 따라 목적세로 바꾸어 무산자에게 직접 지급 또는 사용되어야 하며, 각종 토지관련세도 적정 토지를(매년 전국 토지 실질 지가 평가 후 1인당 지분) 토지 무소유자에게 직접 지급되는 목적세로 바꾸어야 한다. 위에서 얘기한 것의 이유로 국가가 기업 무름의 의무를 지닌 친족의 의무를 대신해야 한다. 상속세, 증여세, 토지세 등에서 마련한 기금을 무산 계층(계급)에게 직접 지급하는 방식도 필요하다. 이 것을 최소한 50년에 한번 정도는 실시해야 한다. '희년기금'을 마련해서 이렇게 '희년증권'을 지급하는 방식이다. 지대조세제는 이러한 가난한 사람들에 대한 직접 지급 방식을 결여하고 있다.

'희년증권'이란 이렇게 '희년기금'을 축적하여 '희년증권화'하여 관리하고 지급하는 방식인데, 무산 계층, 즉 대략 하위 계층 20~40%의 가구에게 가구당 최대 1억원 정도의 '희년증권'을 지급한다. 여기서 1억원도 요즘 시세로 말한 것이며, 때에 맞게 바꿔야 한다. 국가 통계의 중요성이 여기에 있다. 가구당 토지, 금융, 자산 등을 정기적으로 정확하게 통계내야 한다. 이 통계를 바탕으로 가구당 평균 자산을 계산하고 이 기준에 미달하는 세대에 그 미달분만큼 '희년증권'을 무상 공급한다. 이 증권은 증권시장에서 거래될 수 있도록 해야 한다. 유동화를 위해서다. 희년에 분배받은 토지가 사인간 거래도 다시 유동화되는 시스템이 있었던 것과 마찬가지 원리다.

이렇게 분배된 '희년증권'을 가지고 무산자 계층은 이를 사업 자금화할 수도 있다. 희년에 공급받은 토지로 다시 자영업자가 될 수 있었던 것과 마찬가지 이치다. 또 이 '희년증권'은 희년에 공급받은 토지를 필요에 따라 그 사용권자가 팔 수 있었던 것과 같은 이치다.

하나님은 결국 이스라엘 각 가구가 레위 지파를 제외하고는 자경자, 즉 요즘으로 말하면 자영업자, 기업가, 자본가가 되길 원하셨다고 보는데, 그런 관점에서 본다면 평생 노동자로 사는 사람들이 자영업자가 될 수 있게 하는 방안을 가져야 한다. 다만 자본집중적인 현대 산업 사회에 맞게 종업원 지주제 방식을 적극적으로 도입하는 것도 필요하다. 이것도 희년증권을 통해 확보할 수 있다.

하지만 위에서 논의했듯이 종업원 지주제 방식도, 종업원이 최고 경영자가 되는 시스템이 있지 못하다면 무용지물이다. 또 그 회사의 주식이 적정하게 분배되지 못하는 것도 문제다. 여기에서 자본가와 노동자 사이의 분배 문제가 생겨난다. 마르크스는 이 둘 사이에서는 노동자 편을 들었다. 현대 기업들이 CEO와 노동자 사이의 연봉 차이를 지나치게 벌여둠으로써 큰 문제를 야기하고 있다. 경영권은 적정선까지 확대될 수 있지만, 급여 수준은 지나치게 차이가 나게 해선 안 된다. 그러나 여기에서도 중요한 것은 끊임없이 사람들이 자신의 자본의 주인이 되도록 해주어야 한다는 점이다.

국가 전체를 경영하는 대통령의 급여와 지방 공무원의 급여와의 차이가 기업들의 CEO와 사원처럼 극심하게 나지 않는다. 희년증권과 관련된 기업들에서도 이젠 급여 문제도 이렇게 변화시켜야 한다. 대통령 선거를 주기적으로 하는 것과 같은 시스템을 종업원지주제를 회사에도 도입해서 경영자를 선발해야 한다. 투명 경영이 여기에서 아주 중요한 요소가 된다. 정확한 경영 평가에 따라 경영자가 선발되고, 유지되는 시스템이 만들어져야 한다.

노동 조합, 또는 협동 조합 경영 방식이 필요한데 요즘 사측에서 노조의 경영권 간섭을 문제 삼는 것은 이런 관점에서 볼 때 문제가 된다. 공존 공생 없이 노동자를 종처럼 부리게 되면 그 회사는 반드시 망하게 되어 있다. 노동자의 노동 생산성의 극대화는 노동자의 주인 의식에서 비롯되기 때문이다. 주인 의식을 가질 수 있는 물적 토대를 마련하지 않고, 종으로 부리면서 주인 의식을 가지라는 것은 어불성설이다.

이런 희년 증권을 통해, 빈곤 계층은 언제나 희망을 가지게 된다. 비록 아버지 대에 실패했더라도 자식 대에 가서 이 증권이 지급된다는 희망이 있을 때, 일가족 자살과 같은 비극적 사태는 벌어지지 않는다.

　모든 범죄가 경제적인 이유 때문에 생겨나는 것은 아니지만, 경제적인 보장책이 있었다면 일어나지 않을 많은 범죄가 있다. 따라서 빈곤 계층이나 이들의 자녀들이 희망을 가짐으로써 절망적인 절대적 빈곤으로 인하여 사회적 통합이 저해되거나 범죄가 발생되는 경우를 차단하며, 자기 개발의 희망을 가짐으로써 국가 전체적으로 불필요한 비용이 감소되며 생산성이 증대된다. 또한 대부분의 국민들이 미래에 대한 불안과 후대를 위하여 불필요하게 부에 대해 집착하는 일이 감소되어 삶의 질이 향상되고 결국 신명기 28장의 말씀처럼 국제적으로 일등 국가가 되는 길이 만들어진다.

## 4) 빈곤 계층 사병 가계 급여 지급

　빈곤 계층 사병 복무 군인들에 대한 급여를 대폭 상향 지급한다. 현 군 복무 사병들은 하사관이나 장교들의 의무 복무자와 달리 일괄적으로 2~3만 원 선의 급여를 받는 것으로 끝난다. 이는 불합리하다. 특히 빈곤 계층 출신 사병들이 거의 무상에 가까운 형태로 복무하는 것은 바람직하지 못하다.

　빈곤 계층 복무 사병들의 급여를 최저 임금 수준으로 끌어 올려야 한다. 물론 이들에게 의식주가 제공되니 이 비용도 거기에 포함하여야 한다는 의견도 있을 수 있다. 그러나 대부분의 현역 근무 사병들은 야간 근무까지 한다. 이들은 생명의 위협 속에서 이런 노동을 감당하고 있다. 그런 점에서 이들의 노동 가치를 적정하게 산정하여 급여를 지급해야 한다. 특히 빈곤계층 사병들의 경우 이들이 군대에 오지 않았다면 노동을 통해 자신이 속한 가계의 경제에 보탬이 되었을 것이다. 따라서 사병들의 가계 형편에 따라 10등급화하여 최대 50만원까지 급여를 차등지급하는 방식이 필요하다.

## 5) 출산 휴가 3년 및 빈곤 계층 육아 급여 지급

출산 휴가는 3년 정도 실시하며, 이 기간에 가구 자산 형편에 따라 국가가 급여를 차등 지급한다. 빈곤 계층 여성에게는 더욱더 많은 급여를 지급한다. 여성은 인구를 생산하는 사람들이다. 출산 후 3년 동안에 여성이 직접 자신의 아이를 돌볼 수 있는 시스템을 만들어야 한다. 사무엘의 어머니 한나는 사무엘을 3년간 젖 먹이고 엘리 제사장에게 보냈다. 생후 3년의 시기에 어머니가 직접 그 아이를 돌보면서 심리적, 교육적, 건강적 토대를 제공하는 것은 아이의 미래에 대단히 중요한 요소다. 이것이 제대로 되어야 그 후의 보육, 유치원, 초·중·고·대 교육이 효과를 거둘 수 있다.

## 6) 매 7년 생계형 부채 탕감

매 7년 정도마다 생계를 위해 자금을 빌린 빈곤 계층의 부채는 각 개인별로 탕감해주도록 하고 이를 국가가 세제 지원을 통해 보전해주는 것도 한 방식이다. 물론 각 개인이 이런 지원이 없다 하더라도 적극적으로 탕감해주어야 한다. 하나님께서 이런 사람들에게 복을 주신다고 약속하셨기 때문이다. 그러나 국가가 이런 탕감이 확실히 이루어지도록 개입해야 한다. 이 탕감과 관련한 위원회를 구성하고 평가한다.

## 7) 매 7년 안식년 개념을 도입한다.

　현대 산업 사회가 이미 너무도 진전되었기 때문에 전국이 7년째 같이 쉬는 것은 어려울 수도 있다. 그러나 점차 이 목표점에 이르도록 노력해야 한다. 고용없는 성장의 문제를 해결하는 데도 이 안식년 방식은 아주 유용하다. 국가가 노동자의 휴식년에 임금을 지급하는 것도 한 방법이다. 위에서 논의한 임대아파트나 학습권 제공 등이 용이하게 이루어진다면 생활비가 낮추어짐으로써 안식년 기간에 노동자들이 큰 무리없이 휴식할 수 있게 된다. 어로 금지 기간, 산림 안식, 휴경, 환경 보존, 매 7년 건축 개발 제한 등등의 법을 도입한다. 이 외에도 지혜를 짜내어 사랑이 넘치고 공평하고 정의로운 사회를 만들기 위해 노력해야 한다.

　솔로몬은 공정한 재판을 위해 지혜를 구하고서 엄청난 부가적 복을 받았다. 우리가 먼저 하나님의 나라와 하나님의 의를 이 땅 가운데 이루기 위해 지혜를 구한다면 하나님께서는 하늘의 복으로 채우시리라. 정치가 국민에게 이 땅에서의 복만 아니라 영생의 복도 제공해줄 수 있게 된다면 요람에서 천국까지를 책임지는 정부가 된다. 아리랑당은 전 세계 모든 국가에 이런 정치를 꿈꾼다.

결론

# 영생을 위한 경제행위

고린도전서 15장에서 '나의 나된 것은 오직 주 예수의 은혜'라고 사도 바울은 말했다.

9 나는 사도 중에 지극히 작은 자라 내가 하나님의 교회를 핍박하였으므로 사도라 칭함을 받기에 감당치 못할 자로라 10 그러나 나의 나 된 것은 하나님의 은혜로 된 것이니 내게 주신 그의 은혜가 헛되지 아니하여 내가 모든 사도보다 더 많이 수고하였으나 내가 아니요 오직 나와 함께하신 하나님의 은혜로라

이 세상이 누리고 있는 모든 물질적 풍요는 모두 하나님으로부터 말미암았다. 그러나 이 물질적 풍요를 왜 하나님이 허락하셨는지 인류는 망각하고 있다. 그 대가는 이스라엘이 당했던 재앙이다. 호세아서 10장을 보자.

1 이스라엘은 열매 맺는 무성한 포도나무라 그 열매가 많을수록 제

단을 많게 하며 그 땅이 번영할수록 주상을 아름답게 하도다 2 그들이 두 마음을 품었으니 이제 벌을 받을 것이라 하나님이 그 제단을 쳐서 깨뜨리시며 그 주상을 허시리라

지금 이 세상은 국가를 우상화하고, 기업을 우상화하고 자신을 우상화하고, 사유재산, 자기 자유를 우상화하고 있다. 하나님 외에 어떤 것도 하나님의 자리를 차지해선 안된다. 하나님은 우리가 서로 사랑하고 살기를 원하신다. 물질은 바로 이를 위한 도구일 뿐이다. 예수님이 우리를 사랑하셨듯이 우리도 서로 사랑해야 한다.

예수님이 피 한 방울까지 다 흘려 우리를 사랑하셨기에 우리는 이제 내가 가진 모든 것을 나누어 형제들을 사랑해야 한다. 십일조, 지대세 정도가 아니다. 내가 가진 모든 것을 나누어야 한다. 예수님은 영생을 얻는 방법을 묻는 사람에게 말씀하셨다. 누가복음 18장을 다시 읽자.

18 어떤 관리가 물어 이르되 선한 선생님이여 내가 무엇을 하여야 영생을 얻으리이까 19 예수께서 이르시되 네가 어찌하여 나를 선하다 일컫느냐 하나님 한 분 외에는 선한 이가 없느니라 20 네가 계명을 아나니 간음하지 말라, 살인하지 말라, 도둑질하지 말라, 거짓 증언 하지 말라, 네 부모를 공경하라 하였느니라 21 여짜오되 이것은 내가 어려서부터 다 지키었나이다 22 예수께서 이 말을 들으시고 이르시되 네게 아직도 한 가지 부족한 것이 있으니 네게 있는 것을 다 팔아 가난한 자들에게 나눠 주라 그리하면 하늘에서 네게 보화가 있으리라 그리고 와서 나를 따르라 하시니 23 그 사람이 큰 부자이므로 이 말씀을 듣고 심히 근심하더라 24 예수께서 그를 보시고 이르시되 재물이 있는 자는 하나님의 나라에 들어가기가 얼마나 어려운

지 25 낙타가 바늘귀로 들어가는 것이 부자가 하나님의 나라에 들어가는 것보다 쉬우니라 하시니 26 듣는 자들이 이르되 그런즉 누가 구원을 얻을 수 있나이까 27 이르시되 무릇 사람이 할 수 없는 것을 하나님은 하실 수 있느니라 28 베드로가 여짜오되 보옵소서 우리가 우리의 것을 다 버리고 주를 따랐나이다 29 이르시되 내가 진실로 너희에게 이르노니 하나님의 나라를 위하여 집이나 아내나 형제나 부모나 자녀를 버린 자는 30 현세에 여러 배를 받고 내세에 영생을 받지 못할 자가 없느니라 하시니라

예수님은 지대조세만 내라 하시 않으셨다. 십일조만 내라 하지 않으셨다. 예수님은 가진 것을 모두 팔아 가난한 자들에게 나눠주라 하셨다. 중요한 것은 대상이 가난한 사람이라는 점이다. 다시 나에게 갚을 수 있는 사람이 아니고 내게 갚을 수 없는 사람에게 주어야 한다. 예수님이 도덕적 해이를 유발하시는가? 결코 그렇지 않다. 누가복음 14장을 보자.

12 또 자기를 청한 자에게 이르시되 네가 점심이나 저녁이나 베풀거든 벗이나 형제나 친척이나 부한 이웃을 청하지 말라 두렵건대 그 사람들이 너를 도로 청하여 네게 갚음이 될까 하라 13 잔치를 배설하거든 차라리 가난한 자들과 병신들과 저는 자들과 소경들을 청하라 14 그리하면 저희가 갚을 것이 없는고로 네게 복이 되리니 이는 의인들의 부활시에 네가 갚음을 받겠음이니라 하시더라

그런데 영생은 이것만으로 얻을 수 없다. 그 다음에 예수님을 좇아야 한다. 이 세상 사람들에게 줄 수 있는 최대의 선물이 무엇인가? 몸짱 만들기, 웰빙 확보, 무병장수에 여념이 없는 사람들에게 정녕 필요한 것은 영생이다. 시티 파크에 입주하기 위해 치열한 줄서기를 하는

사람들에게 우리는 천국에 입주할 수 있는 길을 열어주어야 한다.

21 그 때에 베드로가 나아와 가로되 주여 형제가 내게 죄를 범하면 몇번이나 용서하여 주리이까 일곱번까지 하오리이까 22 예수께서 가라사대 네게 이르노니 일곱번 뿐 아니라 일흔번씩 일곱번이라도 할찌니라 23 이러므로 천국은 그 종들과 회계하려 하던 어떤 임금과 같으니 24 회계할 때에 일만 달란트 빚진 자 하나를 데려오매 25 갚을 것이 없는지라 주인이 명하여 그 몸과 처와 자식들과 모든 소유를 다 팔아 갚게 하라 한대 26 그 종이 엎드리어 절하며 가로되 내게 참으소서 다 갚으리이다 하거늘 27 그 종의 주인이 불쌍히 여겨 놓아 보내며 그 빚을 탕감하여 주었더니 28 그 종이 나가서 제게 백 데나리온 빚진 동관 하나를 만나 붙들어 목을 잡고 가로되 빚을 갚으라 하매 29 그 동관이 엎드리어 간구하여 가로되 나를 참아 주소서 갚으리이다 하되 30 허락하지 아니하고 이에 가서 저가 빚을 갚도록 옥에 가두거늘 31 그 동관들이 그것을 보고 심히 민망하여 주인에게 가서 그 일을 다 고하니 32 이에 주인이 저를 불러다가 말하되 악한 종아 네가 빌기에 내가 네 빚을 전부 탕감하여 주었거늘 33 내가 너를 불쌍히 여김과 같이 너도 네 동관을 불쌍히 여김이 마땅치 아니하냐 하고 34 주인이 노하여 그 빚을 다 갚도록 저를 옥졸들에게 붙이니라 35 너희가 각각 중심으로 형제를 용서하지 아니하면 내 천부께서도 너희에게 이와 같이 하시리라 (마태복음 18장)

요즘 기독인들이 자신에게 빚을 진 사람들에게 어떻게 하고 있는가? 갚을 능력이 보이지 않는, 돈을 빌려달라고 하는 사람들에게 어떻게 하고 있는가? 빚더미에 헤매면서 생활비가 없어 몸을 팔고 있는 사람들에게 어떻게 하고 있는가? 자기는 넓은 집에 살면서 단칸방에 몇 식구가 살아가는 사람들에게 어떻게 하고 있는가? 수술비가 없어 죽어가는 사람들, 전과자가 되어 사회 적응이 힘든 사람들에게 어떻게 하고 있는가?

기독인들은 모두 전과자다. 예수님이 그래서 그들을 위해 십자가에서 돌아가셨다. 예배당에서 자신은 사형 판결에서 벗어났다고 기뻐하면서 가슴에 손을 얹고 눈물 흘리며 은혜로운 찬송을 부르다가 밖에 나와서는 뱀눈을 뜨고 불쌍한 이웃을 바라보고 있다면? 또 지금 이 땅에서 주여 주여 하는 자들을 지옥에서 만나는 일이 없기를 간절히 바란다.

마태복음 7장의 말씀을 보자.

21 나더러 주여 주여 하는 자마다 천국에 다 들어갈 것이 아니요 다만 하늘에 계신 내 아버지의 뜻대로 행하는 자라야 들어가리라 22 그 날에 많은 사람이 나더러 이르되 주여 주여 우리가 주의 이름으로 선지자 노릇하며 주의 이름으로 귀신을 쫓아 내며 주의 이름으로 많은 권능을 행치 아니하였나이까 하리니 23 그때에 내가 저희에게 밝히 말하되 내가 너희를 도무지 알지 못하니 불법을 행하는 자들아 내게서 떠나가라 하리라

# 세계금융위기 해결법

　미국 서브 프라임 모기지에서 출발한 국제 금융 위기가 전 세계로 퍼지고 있습니다. 이 문제를 해결하기 위해 이전과는 다른 방법을 쓸 필요가 있습니다.

　금융 기관들을 도와줬던 방법에서 벗어나 이제는 직접 해당 주택들을 국가에서 매입하는 방법을 써야 합니다. 이 비율은 미국 전체 주택의 30% 선을 넘지 않을 것으로 보입니다. 3천만호라 잡을 때 이미 구제 금융으로 쓰기로 한 2조 달러면 충분히 감당할 수 있는 비용입니다. 은행 등에 담보 설정된 위험 주택들을 국가가 대신 매입해주는데, 이 때 국채를 발행하여 은행 담보를 해지하는 방식입니다. 은행은 담보 설정 대신 이 국채를 보유할 수 있고, 이를 유동화할 수 있어서 신용 경색이 풀어집니다.

　여기에 투자된 국채 등은 장기적으로 회수할 수 있습니다. 주택이란 그 토지가 사라지지 않고, 특히 국가가 발전할수록 사용자가 늘기 때문에 임대료를 통해 국채 이자를 감당할 수 있기 때문입니다. 경기가 회복된 후에 이를 다시 팔아도 됩니다. 이렇게 한다면 집값 변동성도 줄일 수 있게 되고, 주택이 복지 차원에서 공급되며, 투기 대상에서 사라지게 되는 일석 삼조의 효과를 누릴 수 있다고 봅니다.

　또 기존에 모기지 관련 파생 상품들도 연착륙을 통해 문제를 점차 해결할 수 있기 때문입니다. 주택 가격은 산정 위원회에서 개별 주택 가격을 산정하여 매매하되 통상 현 가격의 70%에서 매입하고, 현소유주가 그 집에 그대로 살 경우는 임대보증금을 20%정도 받아 처리하면 문제가 된 집들 가격의 약 50% 정도 수준의 국채만 발행해도 국가에서 집들을 매입할 수 있다는 계산이 나옵니다.

그리고 이 가구들에 돈을 빌려줬던 은행들도 일부 손실을 떠안게 해서 도덕적 해이를 막아야 합니다. 은행들은 일거에 이 손실 부분을 회계처리해야 합니다. 경제는 불확실성을 싫어하기 때문에 불확실성이 제거된다면 현재의 경제 위기는 많이 해소될 것입니다. 특히 경영진들에게 책임을 묻고, 배상하도록 해야 합니다. 월가의 경영진들이 일반 근로자에 비해 몇 백배의 급여를 받은 것은 도덕적 해이의 극치입니다. 이런 자들로 인해 생긴 문제이기에 이 자들의 재산을 압류하고 환수해야 합니다.

또 이 가구들을 관리할 사람들을 통해 새로운 일자리를 만들어 실직자 문제도 일부 해결할 수 있습니다. 우리 나라의 PF 문제나, 주택대출 부실화 문제도 위의 방법을 선제적으로 쓸 필요가 있습니다. 부실 가능성이 있는 것을 더이상 방치하지 말고, 협상을 통해 빠른 시일내에 저가에 국유화해야 합니다. 한국의 최근 주가 폭락도 이런 불확실성에서 기인합니다. 이 문제를 신속히 처리하지 못하면 도미노 붕괴가 일어날 것이며 그 피해는 상상 이상이 될 것입니다. 영국, 프랑스 등의 부동산 문제, 금융 위기도 이렇게 풀어야 합니다.

# 금융위기 : 핵심주택토지기업 국유화

　위기가 왔을 때, 그 위기를 통해 하나님의 정의를 이루려는 시도를 하게 된다면 이 위기는 대단한 기회가 됩니다.

　요셉은 이집트의 예견된 위기를 이집트 사회의 시스템 개혁, 즉 토지의 국유화 및 생산 연계 임대료 부과 방식이라는 큰 구도 가운데 방향 잡아갔습니다. 이것이 지금 미국의 폴슨과 버냉키조가 하고 있는 것과 전혀 다른 방식입니다. 미국은 이번 위기를 그저 극복하려고 할 뿐, 미국이라는 사회가 어떻게 변화되어야 하는지에 대한 상을 가지고 있지 못합니다. 그래서 천문학적인 돈을 쏟아붓고 있지만, 이 위기가 지나갔을 때 그 사회가 좀더 정의로운 사회가 되리라는 비전을 보여주지 못하고 있습니다.

　이번 위기는 주택 문제에서 출발했습니다. 따라서 이번 위기를 통해 앞으로 시스템적으로 주택 문제를 영원히 푸는 방향으로 이 문제를 풀어가는 것이 요셉적 방법이며 지혜입니다. 위기의 원인이 된 집값 하락을 어느 정도 방치할 필요가 있습니다. 그리고 여기에 연관된 은행과 기업들도 부도가 나도록 놓아둘 필요가 있습니다. 요셉은 식량이 떨어져 토지 외에 더 이상 아무 것도 팔 수 없을 때까지 그 위기를 활용했던 것을 원용해야 합니다.

　이렇게 되면, 집값은 더 떨어지게 되고, 그럼 국가에서 국채 발행 등을 통해 이 집들을 아주 헐값에 사들이고, 기존 주택 보유자는 그냥 그 집에서 세를 살도록 해주면 됩니다. 요셉은 식량 위기를 통해 토지 소유자들의 토지를 아주 저렴하게 매입하는 기회로 삼습니다.

그런데 지금 미국이나 영국 등, 그리고 우리 나라도 전혀 다른 방식 즉 은행이나 기업 그리고 주택 소유자를 살리는 방식으로 문제를 풀어가고 있다는 점입니다. 이렇게 문제가 풀리면 또다시 주택 투기가 주기적으로 일어나게 됩니다. 이미 미국이 겪어온 역사이고 각국의 역사입니다. 핵심지 주택이나 토지의 국유화가 이루어지게 되면, 부동산 투기는 사라지게 되고, 국가는 가장 중요한 임대 사업자가 되며 여기에서 나온 임대료를 통해 국가 재정을 충당할 수 있게 됩니다.

지금처럼 세금 중심의 국가가 아니라, 임대료 중심 재정 확보 국가가 되는 방향으로 틀을 바꾸어가야 합니다. 강남 등지에서 고급 주택이나 빌딩 등을 가지고 부를 축적하는 일을 왜 민간에게 넘겨주어야 합니까? 각국의 핵심지 중심지의 임대료 상승은 그 국민 전체가 이루어낸 국부의 핵심 열매입니다. 그런데 이를 소수가 장악하고서 부동산 투기를 주기적으로 유발하게 되고, 이로 인한 폐해는 이루 말할 수 없습니다. 주거 비용 상승, 과도한 임금 상승, 빈부격차 확대, 기업 생산 비용 증대, 물가 상승 등등..궁극적으로는 국가 소멸.

또 주식 시장 폭락을 이용하여, 국가 핵심 기업들의 주식을 저렴하게 매입하는 기회로 삼아야 합니다. 국가 부의 핵심 영역인 이들 기업을 국유화하는 것은 국민 전체에 이로운 일입니다. 지금은 이런 기업들 대부분이 외국인이 최대 주주가 되어 있는 상황입니다. 이들 기업 배당금이 앞으로는 주택 및 토지 임대료와 함께 국가 재정의 중요한 요소가 되어야 합니다.

국가가 최대 임대 사업자, 최대 주주가 되어 자본주의의 장점을 활용하면서도, 단점을 제거할 수 있는 길입니다. 현재 민간이 최대 임대 사업자, 그리고 외국인이 최대 주주의 위치에 있는 상태에서 국가가 있는 그 위치를 장악하는 수준으로의 변경일 뿐이며 자본주의 해체 방식이 아닙니다. 그러기에 기업 활동이 위축될 필요가 없습니다. 또 집주인이 투기적 개인에서 국가로 바뀌었다는 것 밖에 다른 것이 없는데 그 효과는 전혀 다릅니다.

이렇게 된다면 이 국가의 생산성은 엄청나게 높아질 것이며, 다시는 이런 투기적 망국 현상도 발생하지 않고 지속적으로 성장하는 국가가 될 것입니다. 민간 기업이나 개인들이 토지와 집을 마련하는 데 목숨 걸지 않고 자기 개발에 투자함으로써 사회적 생산성이 높아지기 때문입니다.

주님 아리랑당이 집권할 수 있는 기회를 주시옵소서. 요셉 식으로 문제를 풀어내게 도와주십시오. 주님께서 감옥에서 올리셔서 그로 총리가 되어 그 문제를 풀어내게 하셨듯이 저희도 그런 기회를 얻도록 도와주시옵소서.

# 참고

이 책의 내용은 '아리랑당'의 초창기부터 현재까지 연구되고 준비된 것으로서, 지난 2004년 6월 19일에 있었던 '성토모(성경적 토지 정의를 위한 모임)'와의 토론회에 대비하여 더욱 보강되었습니다. 이에 우리 '아리랑당'이 토론회에서 '성토모'측에 제기하였던 질문을 첨부합니다.

토지와 관련하여 아리랑당도 토지 투기는 반드시 잡아야 하며, 아리랑당의 장단주기분배 정책도 토지 보유세 대폭 강화, 더 나아가 아예 택지 소유 상한제 등 투기적 토지 보유 제한 제도 강화, 신도시 개발 후의 택지 분양제나 공장 용지 개발 분양 대신 국공유화 후 임대제로의 전환을 도입해야 한다고 생각하고 있습니다.

1. 성토모가 생각하는 경제 활동의 주요 목적은 무엇인가요? 생활 수단 확보가 영생을 가져다주나요? 성토모 운동에서 하나님보다 헨리 조지가 앞서서 회자되지는 않는가요?

2. 생산의 요소가 토지, 노동, 자본인가요? 하나님은 생산 현장 어디에 계시나요? 임금과 이윤은 하나님과 어떤 관계가 있나요? 농업사회에서의 생산의 요소와 자본주의 사회에서의 생산의 요소가 같은 성격을 가지고 있나요?

3. 잉여가치는 어떻게 창출되나요? 잉여가치 창출의 주체는 누구이

며, 그 비율은 어떻게 됩니까? 개인이 창출한 것, 사회가 창출한 것을 어떻게 구별하며 그 비율은 무엇인가요?

4. 지대조세제로 거둔 세금은 누구에게 사용되나요? 성경은 왜 그토록 가난한 사람들에게 나누어주는 것을 강조하셨나요?

5. 지대조세제가 매년 십일조와 매3년 십일조, 면제년, 안식년, 희년의 내용을 어떻게 담고 있나요? 십일조는 생산물의 하나님 주권에 대한 사회적 공표, 직접 자산을 갖지 못해 생산에 참여하지 않은 사람들에 대한 공적 제공 성격, 면제년은 자본 및 이자, 안식년은 노동, 희년은 자본에 대한 사적 거래의 성격을 담고 있는데 지대조세제는 어떻습니까?
하나님도 이렇듯 다양한 방법으로 경제 현실의 격차를 해소하시는 방안을 마련하셨는데, 지대조세제로 모든 것을 통제할 수 있다고 보시나요?
십일조는 생산량에 비례한 세금적 성격을 가지고 있는 반면, 희년은 해당 당사자간 자산 이전의 성격을 가지고 있다고 볼 수 있습니다. 오늘날로 보면 십일조는 매년 생산물과 관련해서 거두는 각종 세금 (소득세, 법인세) 성격을 가지고 있으며, 희년은 상속세를 통해, 과다하게 많이 가지게 된 사람의 재산을 무산자의 자손에게 돌리는 방법으로 적용될 수 있다고 보는데 어떻게 생각하십니까?
이렇듯 희년법은 생산의 주요 요소인 토지라는 미래 가치를 발생시키는 자산을 무상으로 균등 분할, 원상 회복했는데 지대조세제가 주요 자산 무상 균등 분할의 효과를 가져오나요? 즉 무산자와 그의 후손들이 무상으로 자산을 가지게 하는 기제를 가지고 있습니까?

6. 법인세, 소득세가 벌금인 이유는? 십일조가 벌금인가요? 면제년이 도덕적 해이를 유발하나요?

7. 안식년은 땅도 노동도 쉬고 하나님을 생각하는 해라고 봅니다. 지대조세제가 땅의 사용 효율을 높인다면 땅과 노동은 더욱더 쉴 기회를 상실하지 않나요?

8. 지주의 탐욕이 제어되면 자본가의 탐욕이 사라지나요? 토지투기적 지주는 자본가와 노동자를 착취하고 악덕 자본가는 다시 노동자를 착취한다고 보는데 어떠한가요? 어떻게 지대조세제로 새 하늘과 새 땅이 도래하나요? 왜 예수님은 부자 청년에게 영생을 얻으려면 가진 것을 모두 팔아(임금, 이자, 지대, 이윤) 가난한 자들에게 나누어주고 예수님을 따르라 하셨나요?

9. 지대조세제로 이미 생겨버린 자본의 크기 차이가 해소되나요? 임대료가 비싼 땅을 자본의 크기 차이로 임대할 수 없는 사람들은 어떻게 되나요? 이것이 공정 경쟁인가요?

10. 이스라엘의 각종 경제법 등을 통해 하나님이 달성하려 하신 소득 평등 정도, 이를 오늘날로 표현하면 지니계수는 어느 정도로 추정합니까? 지대조세제를 통해 달성하려는 지니계수 목표치는 어떻게 됩니까? 또 하나님이 원하신 이스라엘의 가구당 자산 평등 정도는 어느 수준이었다고 봅니까?

11. 성경의 경제법은 신정국가로서의 정치적 속성을 뒷받침하는 구조였다고 보는데 이 점에서 정치 구조를 변화시키려는 노력을 전개하는 것과 별개로 움직이는 경제 운동, 토지 운동의 한계에 대해 어떻게 생각하십니까?

12. 성읍 내 가옥을 1년 이후에는 영구히 팔 수 있도록 하신 이유는 무엇일까요?

13. 예수님이 왜 희년을 거론하시기보다는 모든 것을 가난한 자들에게 나누라는 말씀을 하셨을까요?

14. 성경의 경제법에서 이방인과 이스라엘을 구별하신 이유가 무엇일까요? 오늘날은 이것을 어떻게 적용할 수 있습니까?

15. 헨리 조지가 지대조세제가 실현되지 않는 상황에서도 오늘날 우리가 목도하는 세계적인 대자본가가 출현할 것을 예측했다고 보는지요?

16. 헨리 조지는 어떤 정책이 지나치게 사회적 저항을 불러올 때는 다른 방식을 도입하는 것이 낫다고 했는데, 지대조세제 실시 시 불러올 저항은 어느 정도로 예상하는지요? 오히려 이렇게 새로운 세제를 만들어 국민의 상당수의 저항을 받기보다는 기존 세제를 장단주기분배론 식의 성경적 방법, 단기적 생산물에 대한 비례세(소득세, 법인세)의 단기적 분배, 생산 수단에 대한 중장기적 100% 누진적 재분배 방식(상속세, 증여세)을 도입해 경제적 평등 사회라는 목적을 달성하는 방법이 더 옳다고 보는데 어떠한지요?
특히 후자는 희년 방식을 따라 목적세로 바뀌어 무산자에게 직접 지급 또는 사용되어야 하며, 각종 토지관련세도 적정 토지(매년 전국 토지 실질 지가 평가 후 1인당 지분) 무소유자에게 직접 지급되는 목적세로 바뀌어야 한다고 보는데 어떠한가요? 국가가 기업 무릎의 의무를 지닌 친족의 의무를 대신해야 한다고 보는데 어떻습니까?
하나님은 결국 이스라엘 각 가구가 레위 지파를 제외하고는 자경자, 즉 요즘으로 말하면 자영업자, 기업가, 자본가가 되길 원하셨다고 보는데, 그런 관점에서 본다면 평생 노동자로 사는 사람들이 어떻게 자영업자가 될 수 있게 하는 방안을 가지고 있습니까? 현대 산업 사회에 맞게 종업원 지주제 방식을 적극적으로 도입하는 것은 어떻습니까?

레위 지파는 지주 계급으로도 볼 수 있는데 어떻습니까? 이들의 토지 지분을 나머지 열 두 지파가 갈아주고 그 생산물 중에서 십분의 일을 내어놓는 방식이었으니 일종의 지주였다고도 볼 수 있는데 어떻습니까? 그런 점에서 본다면 지대조세제 정신과는 다르다고 보지 않습니까?

결국 토지 문제에서 중요한 것은 지주의 정당한 자기 지분과 설령 그 토지 위에서 노동하지 않더라도 전체를 위한 공익적 노동의 존재 여부라고 할 수 있지 않을까요? 무조건적 지대조세제 환수는 그런 점에서 비성경적이라 볼 수 있지 않을까요?

이스라엘의 희년제는 어느 기간 분에 대해선 가구 토지를 팔 수 있고 그 대가를 그 가구 마음대로 사용할 수 있는 권한이 있었다는 점에서 완전 토지 공유제가 아니라, 가구 단위별 공유적 영구 사유제였다고 보아야 하지 않을까요? 그런 점에서 본다면 완전한 토지 공유제는 오히려 비성경적 아닌가요?

지대조세제에는 토지가치수익권이 공적 주체에게 귀속된다고 하는데, 실은 희년의 경우로 볼 때 토지 임대에 따른 수익권이 토지 소유자에게 귀속되었다는 점에서 토지가치수익권은 사적 주체에게 귀속된다고 볼 수 있습니다. 이 점을 어떻게 생각하고 있습니까?

십일조의 경우로 보아도 레위인이 일종의 토지 소유권자였다는 점에서 토지 가치 수익권을 받았다고 볼 수 있는데, 이렇게 본다면 이 역시도 토지가치수익권은 사적 주체에게 귀속되었다고 볼 수 있습니다. 따라서 지대조세제에서 성경을 통해 토지가치수익권이 공적 주체에게 귀속된다는 가설을 세우고서 지대조세를 전면적으로 거두는 방식을 만든 것은 비성경적이라 할 수 있습니다. 이 점을 어떻게 생각하십니까?

17. 결국 남의 몫을 가지고 부당하게 자기 몫이라 주장하는 사람들에게서 그 몫을 찾아 '빼앗긴 사람들'에게 평화적으로 돌려주기 위해선 정치적 권력을 행사해야 하는데 이를 위해선 어떤 노력을 하고 있는지요?

18. 이삭의 목숨은 누구의 것인가요? 아브라함의 것인가요? 사라의 것인가요? 이삭의 것인가요? 아브라함이 이삭을 잡을 권한이 있었을까요? 하나님이 이삭을 잡으라고 하시는 것과 아브라함의 종 엘리에셀이 이삭을 잡으라고 하는 것과는 어떤 차이가 존재합니까? 아브라함에게 이삭과 재산 중 어느 것이 더 소중할까요?
부자 청년의 재물은 누구 것이었습니까? 그 이웃이 그 재물을 가난한 자들에게 나누어주라는 것과 예수님이 그렇게 하라시는 것과는 어떤 차이가 존재합니까? 오늘날 예수님은 거부 기독인들의 재산을 어떻게 하라 하실까요?

19. 서울 고급 주택가에서 200평이 넘는 대지(시가 20억 정도)에 건평 200평 정도 되는 호화스러운 집에 세 식구가 사는 사람이 있다고 합시다. 그의 금융 자산은 예금 100억, 주식 200억, 귀금속은 20억 가량 된다고 합시다. 그의 직업은 전문직으로서 연간 소득이 10억 가량 된다고 합시다. 그가 토지에 대한 지대 연간 1억(5%) 정도만 내고 살며 자기는 세금을 다 냈으니 그 호화로운 집에서 아랫 동네를 바라보며 사는 것이 합당하다고 보는지요?
또 이 사람이 죽을 때 그 자녀에게 이 모든 것을 다 물려주는데 세금 한 푼 내지 않고 그 자녀가 다 물려받고 그 부모처럼 또 살아간다면 이것이 합당한지요?

20. 제 발제문에서 예로 든, 자살한 평택 여중생에게 지대조세제는

구체적으로 어떤 혜택을 주게 됩니까? 이 아이의 집안에 어떤 형태의 구원을 제공하게 됩니까? 19항의 사람은 이런 아이들에 대한 뉴스를 들었을 때 어떻게 해야 할까요? 그의 자녀와 평택 여중생은 어떤 관계입니까? 1억 정도의 빚에 아버지가 자녀를 죽이고 동반 자살하는 일이 빈번히 일어나는 현실에서 19항의 사람이 모든 것을 누리며, 어떤 부담감도 없이 살 수 있다는 것은 무슨 뜻입니까?

21. 친족이 그 친척의 땅을 대신 무르기 해주라는 말씀으로 볼 때, 이 친족은 자기 자본을 가지고 이렇게 해야 했는데, 그가 다시 이 자본을 돌려받으라는 말씀이 성경에는 분명히 적혀 있지 않은데 어떻게 해석해야 할까요?

## 1) 한국, 소득불평등 OECD 국가 중 최고

우리나라의 소득 불평등 및 빈곤 정도가 주요 선진국 가운데 최고 수준이라는 분석이 나왔다. 이 같은 현상은 90년대 말 외환위기 이후 급격히 심화됐으며, 경기침체로 인한 실직자 증가와 학력별 임금격차 확대 등이 주된 원인으로 파악됐다.

한국개발연구원(KDI) 유경준 연구위원은 8일 '복지정책의 방향 연구' 보고서를 통해 우리나라의 지니계수가 지난 96년 0.298에서 2000년에는 0.358로 급등했다고 밝혔다. 지니계수란 소득이 어느 정도 균등하게 분배되는가를 나타내는 수치로, 0에 가까울수록 평등하고 1에 가까울수록 불평등함을 뜻한다. 2000년 우리나라의 지니계수는 비슷한 시기의 경제협력개발기구 즉, OECD 국가들과 비교했을 때 멕시코(98년 0.494), 미국(2000년 0.368)에 이어 3번째로 높아 소득 불평등이 심각한 수준에 달했음을 보여주고 있다.

중위소득의 40%에 못 미치는 상대적 빈곤층의 비율도 96년 전체 가구의 7.65%에서 2000년 11.53%로 급등했다. 이는 멕시코(98년 16.3%)보다는 낮으나 다른 OECD 국가들보다는 훨씬 높은 수준이다.

또 가처분소득이 최저생계비에 못 미치는 절대빈곤층의 비율도 96년 5.92%에서 2000년 11.47%로 수직 상승한 것으로 나타났다. 이 밖에 가처분소득이 최저생계비를 20% 이상 넘지 않는 잠재적 빈곤층도 96년 3.94%에서 2000년 4.68%에 달해 빈곤층의 확대 가능성이 높은 것으로 지적됐다. 유 연구위원은 '소득불평등 및 빈곤층 확대는 외환위기 이후 가구주 실직이 증가한데 따른 것'이라며 '자본주의 경제에서는 시장경쟁에서 탈락한 빈곤층 문제를 국가가 책임져야 한다'고 지적했다. 그는 '양질의 일자리 창출과 국민기초생활보장법을 중심으로 한 사회안전망의 효율화를 분배 및 복지정책의 기본방향으로 설정해야 할 것'이라고 덧붙였다.(2004. 06. 09, 머니투데이 이백규 기자)

## 2) 세습되는 가난, 빈곤탈출률 6%

우리나라 가구의 빈곤층 비율은 '10가구 중 1가구'꼴. 그렇다면 이들이 빈곤층에서 벗어날 확률은 얼마나 될까. 김병일 서울대 교수(경제학부)는 8일 '빈곤의 정의와 규모' 논문에서 빈곤 탈출률이 6%에 불과할 것으로 추정했다.

일단 빈곤층에 진입하면 그 지속성이 매우 심각해 빈곤의 함정에서 헤어나올 수 없다는 얘기다. 특히 빈곤층에 비해 최상위층의 교육비 지출이 10배에 달하는 등 교육에서 비롯되는 '빈곤의 세습'에 대한 우려도 적잖다.

### a) 월급쟁이 빈곤율이 자영업자보다 높다
김병일 교수는 취약계층에 대한 정의를 소득 규모가 아닌 소비지출 규모에 의존했다. 이 경우 재밌는 현상이 발견된다.

우선 소득을 기준으로 할 때 10.1%였던 빈곤가구 비중은 지출을 기준을 적용하면 8.4%로 다소 낮아진다. 소득은 일시적 요인이 반영되지만 지출은 상당기간 유지되는 성격을 갖기 때문. 다만 차상위계층(최저생계비의 120%미만)까지 포함할 경우에는 소득기준 14.9%, 소비지출 기준 15.7%가 빈곤층으로 분류돼 하위 계층의 비중이 상당한 수준임을 보여준다.

또 소득기준으로 임금근로자(4.2%)의 빈곤율이 자영업자(6.1%)보다 낮지만 소비기준으로는 임금근로자(5.3%), 자영업자(3.5%)로 역전된다. 자영업자 소득 파악률이 상대적으로 낮다는 현실이 다시금 확인된 셈이다.(2004. 06. 08, 머니투데이 박재범 기자)

b) 빈곤의 세습 '교육'

빈곤선 미만에 속한 가구들의 교육비 지출 비중은 12%에도 못 미친 반면 소비지출 7분위에 속한 가구들의 비중은 19%로 1.6배 이상이다. 상위 분위로 갈수록 지출 규모가 커지는 점을 감안하면 교육비 격차는 더 증가한다.

실제 각 지출분위별로 평균 교육비 지출액을 보면 빈곤선 미만은 월10만원도 못 쓰는 반면 최상위 10%는 월 100만 원 이상을 지출, 10배차가 난다. 자녀 1인당 교육비도 7배 이상의 격차를 보인다.

김병일 교수는 '고소득층 자녀의 경우 빈곤층 자녀에 비해 7배 높은 비용지출을 통해 더 높은 인적자본을 축적하게 되는 셈'이라며 '빈곤이 교육 효과를 통해 세습될 가능성이 높다'고 말했다.

또 상급학교로 갈수록 분위별 교육비 지출액 격차가 커지는 현상을 보여 눈길을 끈다. 상위 20%와 하위 20%의 교육비 지출 비율은 고등학교(8.7배)가 가장 높고 중학교(8.0배) 초등학생(6.0배) 순이었다. 전문대 이상의 지출 비율 격차는 줄지만 대학생 자녀수 비율이 상위 20%가 0.40명인데 비해 하위 20%는 0.08명에 불과했다.

c) 빈곤 탈출률 6%..빈곤의 '함정'

소득기준으로 추정된 빈곤 탈출률은 67.5%로 매우 높은 편. 그러나 이중 24%는 차상위 계층으로 이동하기 때문에 진정한 의미의 빈곤탈출로 보기 힘들기 때문에 실제 탈출률은 절반 수준이 된다. 소비지출을 기준으로 하면 탈출률은 45.2%로 더 떨어진다. 이중 차상위 계층으로 이동하는 비중이 48.9%여서 진정한 빈곤 탈출율 23.1%에 불과하다.

차상위층에서 빈곤으로 진입하는 비중이 20%에 이르고 차상위층 이상에서 빈곤층으로 떨어지는 가구도 2.5%에 달한다는 점도 간과할 수 없다.

김병일 교수는 '여러 모형을 토대로 추정할 때 빈곤탈출률은 27.8%로 하락하는데 이중 77.7%가 차상위 계층으로 이동하는 점을 감안할 때 실제 차상위층 이상으로의 탈출률은 6.2%에 불과하다'며 '빈곤의 함정효과, 지속성이 상당한 수준'이라고 설명했다.

## 3) 미국 임금 격차 확대—선거쟁점 부상 가능성

미국의 최고 임금 및 최저 임금 수령자간 격차를 의미하는 임금 불평등이 조지 부시 대통령 재직 중 다시 확대되기 시작해 올 연말의 대통령 선거 쟁점으로 등장할 가능성이 있다고 월 스트리트 저널(WJS)이 23일 보도했다.

저널이 인용한 최근 노동부 통계에 따르면 지난해 4.4분기 최하위 10%의 실질임금은 전년도 같은 기간에 비해 0.5% 줄어든 반면 최상위 10%는 1.6%가 증가했다. 또 이 기간 16세 이상 전일제 근로자의 실질소득 중간값(median)은 0.3% 감소해 민간분야의 평균 소득이 증가했다는 다른 통계와는 달리 일반 가정의 소득수준이 뒷걸음치고 있음을 보여줬다.

중간값은 그 이상과 이하의 임금을 받는 근로자들의 수가 같아지는 임금수준을 의미하며 엄청난 액수의 소수 고소득층에 의해 실상이 왜곡될 수 있는 평균값(average)보다 전형적인 가구의 수입실태를 더 정확히 반영하는 것으로 평가된다.

부시 대통령 취임 이후 고소득층과 저소득층의 임금 격차가 확대 됐다는 사실은 다른 통계를 통해서도 뒷받침된다. 2000년 4.4분기에 서 지난해 4.4분기까지 하위 10% 근로자들의 주간 평균 실질임금은 0.6% 증가하는 데 그쳤으나 상위 10% 계층의 주간 임금은 4.5%나 증 가했다.

그러나 대부분 빌 클린턴 전 대통령 재직시기와 일치하는 1990년 대에는 사정이 전혀 달랐다. 96년 말에서 2000년 말까지 하위 10%에 속하는 근로자들의 실질임금은 8%가 올라 상위 10% 근로소득자의 실질임금 상승률 8.8%와 별 차이가 없었다.

일부 경제학자들은 기술의 발달과 산업구조의 변화로 임금 불평등 은 확대되기 마련이며 90년대의 불평등 축소가 오히려 '일시적인 예 외 현상'이라고 지적한다. 미시간대의 셸든 댄지거 교수는 기술적 변 화와 교역의 증대는 고소득 근로자들의 기술이 갖는 이점을 강화해 주는 반면 저숙련 근로자들을 소득이 괜찮은 직장에서 몰아내는 경 향이 있다고 설명했다. 댄지거 교수는 이밖에도 노조 가입률의 저하 와 최저임금의 답보 등도 임금 불평등 확대의 원인으로 보인다고 밝 혔다.

어쨌든 야당인 민주당 후보들로서는 부시 대통령 재직 시 임금 격 차가 확대됐다는 사실은 좋은 공격거리가 아닐 수 없다. 민주당 후보들은 그 동안에도 전형적인 근로 가정들의 경제적 곤경을 선거운동의 주된 소재로 삼아 왔다. 이들은 또 부시 대통령의 감세정책이 소수 고소득층에게 혜택을 줌으로써 빈부격차를 악화시켰다고 주장하고 있다.

그러나 부시 대통령은 모든 가정에 혜택이 돌아가도록 하는 감세정책과 함께 공립학교에 대한 투자를 늘려 임금격차를 해소해 나가겠다고 반박하고 있다. 부시 대통령은 이번 주 발표된 연두교서에서도 직업교육 강화를 위해 지역 개방대학에 2억5천만 달러를 투자하고 가난한 학생들을 위한 대학 교육비 지원사업을 강화하겠다고 밝힌 바 있다.(2004. 01. 24, 뉴욕=연합뉴스)

## 4) 빌 게이츠 '자식들에게 1천만 달러만 물려줄 것'

세계 최고의 부자인 빌 게이츠는 세 자녀에게 1천만 달러만 물려주고 나머지 재산은 자선사업에 쓰겠다고 밝혔다.

게이츠는 27일 파리에서 발행된 무가지 '메트로'와의 인터뷰에서 '아이들이 너무 많은 돈을 가진 채 인생을 시하는 것은 좋지 않다고 생각한다'며 '나와 아내는 건강, 교육, 연구 등과 관련해 불평등이 가장 심한 분야를 알고 있다'고 말했다.

그는 '우리는 이 분야에 집중할 것이며 이것이 내 재단의 목적'이라고 강조했다.

게이츠는 '재산을 모은 이들은 불평등을 해소하기 위해 이를 사회에 환원하는 방법을 발견하길 바란다'고 덧붙였다.

그는 또 '아이들의 인생과 잠재력은 출생과 무관해야 한다'고 지적했다.

세계적인 컴퓨터 소프트웨어 기업인 마이크로소프트의 창설자인 게이츠는 포브스지에 따르면 재산이 460억 달러에 이른다.(2004. 01. 27, 파리=연합뉴스)

## 5) 상속세 관련 조항 중 주요공제 부문과 세율

### 제19조 (配偶者 相續控除)

① 居住者의 死亡으로 인하여 配偶者가 실제 相續받은 금액은 相續稅課稅價額에서 공제한다. 다만, 그 금액은 相續財産(相續財産중 相續人이 아닌 受遺者가 遺贈등을 받은 財産을 제외하며, 第13條第1項第1號에 規定된 財産을 포함한다)의 價額에 民法 第1009條에 規定된 配偶者의 法定相續分(共同相續人중 相續을 포기한 者가 있는 경우에는 그 者가 포기하지 아니한 경우의 配偶者의 法定相續分을 말한다)을 곱하여 計算한 금액에서 第13條의 規定에 의하여 相續財産에 加算한 贈與財産중 配偶者에게 贈與한 財産의 價額을 差減한 금액(그 금액이 30億원을 초과하는 경우에는 30億원을 한도로 한다)을 한도로 한다. 〈개정 1999.12.28, 2000.12.29〉

② 第1項의 規定에 의한 配偶者 相續控除는 相續財産을 分割(登記'등록'名義改書 등을 요하는 경우에는 그 登記'등록'名義改書 등이 된 것에 한한다. 이하 이 항에서 같다)하여 第67條의 規定에 의하여 配偶者의 相續財産을 申告한 경우에 한하여 적용한다. 다만, 大統領令이 정하는 부득이한 사유로 申告期限이내에 配偶者의 相續財産을 分割할 수 없는 경우로서 申告期限의 다음날부터 6月이 되는 날(申告期限의 다음날부터 6月을 경과하여 第76條의 規定에 의한 課稅標準과 稅額의 決定이 있는 경우에는 그 決定日을 말한다)까지 相續財産을 分割하여 申告하

는 경우에는 第67條의 規定에 의한 申告期限이내에 申告한 것으로 본다. 이 경우 相續人이 그 사유를 그 申告期限이내에 納稅地管轄稅務署長에게 申告하는 경우에 한한다.

〈개정 2000.12.29〉

③ 第1項의 경우에 配偶者가 실제 相續받은 금액이 없거나 相續받은 금액이 5億원미만인 경우에는 第2項의 規定에 불구하고 5億원을 공제한다.

〈개정 1999.12.28〉

④삭제〈1999.12.28〉

## 제20조 (其他 人的控除)

① 居住者의 死亡으로 인하여 相續이 開始되는 경우 다음 各號의 1에 해당하는 경우에는 당해 금액을 相續稅課稅價額에서 공제한다. 이 경우 第1號에 해당하는 者가 第2號에 해당하는 경우 또는 第4號에 해당하는 者가 第1號 내지 第3號 또는 第19條에 해당하는 경우에는 각각 그 금액을 合算하여 공제한다.

1. 子女 1人에 대하여는 3千萬원

2. 相續人(配偶者를 제외한다. 이하 第3號에서 같다) 및 同居家族중 未成年者에 대하여는 500萬원에 20歲에 달하기까지의 年數를 곱하여 計算한 금액

3. 相續人 및 同居家族중 60歲이상인 者에 대하여는 3千萬원

4. 相續人 및 同居家族중 障碍人에 대하여는 500萬원에 75歲에 달하기까지의 年數를 곱하여 計算한 금액

② 第1項第2號 내지 第4號에 規定된 同居家族과 同項第4號에 規定된 障碍人의 범위는 大統領令으로 정한다.

③ 第1項第2號 및 第4號의 規定을 적용함에 있어서 1年미만의 端數가 있는 경우에는 이를 1年으로 한다.

## 제26조 (相續稅 稅率)

相續稅는 第25條의 規定에 의한 相續稅의 課稅標準에 다음의 稅率을 적용하여 計算한 금액(이하 '相續稅算出稅額'이라 한다)으로 한다.

〈개정 1999.12.28〉

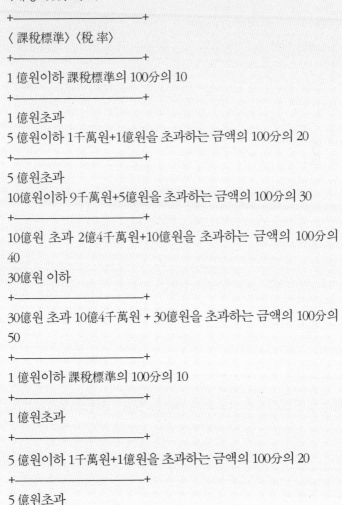

| 〈課稅標準〉 | 〈稅 率〉 |
|---|---|
| 1億원이하 | 課稅標準의 100分의 10 |
| 1億원초과<br>5億원이하 | 1千萬원+1億원을 초과하는 금액의 100分의 20 |
| 5億원초과<br>10億원이하 | 9千萬원+5億원을 초과하는 금액의 100分의 30 |
| 10億원 초과<br>30億원 이하 | 2億4千萬원+10億원을 초과하는 금액의 100分의 40 |
| 30億원 초과 | 10億4千萬원 + 30億원을 초과하는 금액의 100分의 50 |
| 1億원이하 | 課稅標準의 100分의 10 |
| 1億원초과<br>5億원이하 | 1千萬원+1億원을 초과하는 금액의 100分의 20 |
| 5億원초과 | |

10 億원이하 9千萬원+5億원을 초과하는 금액의 100分의 30

+—————————————+

10 億원 초과 2億4千萬원+10億원을 초과하는 금액의 100分의
40

30 億원 이하

+—————————————+

30 億원 초과 5億원 + 30億원을 초과하는 금액의 100分의 50
50 億원 이하

+—————————————+

50 億원 초과 7億5千萬원 + 50億원을 초과하는 금액의 100分의
60

70 億원 이하

+—————————————+

70 億원 초과 10億원 + 70億원을 초과하는 금액의 100分의 70
80 億원 이하

+—————————————+

90 億원 초과 15億원 + 90億원을 초과하는 금액의 100分의 80
100 億원 이하

+—————————————+

100 億원 초과 20億원 + 100億원을 초과하는 금액의 100分의 80
200 億원 이하

+—————————————+

200 億원 초과 30億원 + 200億원을 초과하는 금액의 100分의 90
300 億원 이하

+—————————————+

300 億원 초과 40億원 + 300億원을 초과하는 금액의 100分의 100

부록

# 1. 삼관 공의론(三關 公義論)

우리의 공의론의 핵심은 삼관 공의론(三關 公義論)입니다. 즉 세 가지 관계에서의 공의가 필요하다는 것입니다. 공의는 하나님과 사람의 관계, 사람과 사람의 관계, 사람과 만물의 관계 모두에 해당합니다. 사람이 이 모든 공의를 파괴하는 주 인자입니다. 각 공의는 개별적이면서도 또 하나님을 중심으로 모두 연결, 통합되어 있습니다.

## 1) 신인 공의(神人 公義)

하나님은 사람에 대해 공의를 지키고 계시나 사람들이 하나님에 대해 공의를 지키지 않고 있습니다. 이는 개인뿐만 아니라 국가 국민도 마찬가지입니다. 이런 나라엔 아모스 9장 8절의 말씀이 이루어집니다. 그러므로 국가 부흥을 위해선 반드시 하나님께 대한 공의를 지켜야 합니다. 헛된 우상을 섬긴다든지, 하나님 앞에서 불의한 일을 행하는 것은 국가 소멸을 자초합니다.

신인 공의가 지켜지지 않으면 인인 공의, 인물 공의도 지켜질 수 없습니다. 하나님을 경외함이 인간과 만물에 대한 사랑의 근본입니다. 하나님을 두려워하지 않는 인간 대통령은 우리를 늑탈하고 종으로 삼지만, 왕이신 하나님은 우리에게 참 자유를 주십니다.

하나님은 우리에게 공기와도 같은 존재이십니다. 공기로부터 벗어나는 것이 자유가 아니며 오히려 죽음입니다. 물고기가 물에서 벗어나면 죽음입니다. 손가락이 손에서 떨어지면 더 이상 자유할 수 없습니다. 우리가 하나님으로부터 벗어나면 이런 일이 벌어집니다. 이는 동양의 전통적인 경천 애인의 사상 중 경천에 해당하는 정치입니다.

사탄은 예수님에게 자신에게 경배하면 천하 만국과 그 영광을 주겠다고 했습니다. 그 때 예수님께서는 오직 주 너의 하나님께 경배하고 다만 그를 섬기라 하셨습니다(마태복음4장 8-10절).

지금 세상은 천하 만국을 얻고 그 영광을 누리기 위해서 사탄에게 절하며 이웃을 착취하는 사람들에 의해 크게 어지럽혀졌고 절망 가운데 놓여 있습니다. 특히 정치 영역, 경제 영역에서는 이것이 심각합니다. 권력과 부를 얻기 위해 그들은 과감히 사탄에게 절하고 사탄의 방법을 따르고 있습니다.

하나님께 경배드리며 오직 하나님만을 섬기지 않는다면 이 혼란, 전쟁, 기근, 불행은 끝이 없을 것입니다. 루소는 종교가 없는 사람은 위험하다고 했습니다. 자기 생각대로 방자히 행동할 가능성이 높기 때문입니다.


## 2) 인인 공의(人人 公義)

하나님은 인인 공의를 요구하십니다. 하나님을 경외하도록 사람들을 이끄는 일이 최우선입니다. 이것의 회복 없이 인인간 공의는 실패할 수밖에 없습니다. 그래서 우리의 정치는 종교적일 수밖에 없습니다. 이스라엘의 부흥기는 이런 왕들에 의해 주도되었다는 점을 잘 알아야 합니다.

사무엘하 23장 3~4절의 말씀, 다윗 왕이 하나님의 영에 충만하여 하나님의 말씀을 전한 다음의 구절은 우리 당이 성과 있는 정치, 효과적인 정치를 하기 위해 어떤 인식을 가져야 하는지를 잘 보여줍니다.

이스라엘의 하나님이 말씀하시며 이스라엘의 반석이 내게 이르시기를 사람을 공의로 다스리는 자, 하나님을 경외함으로 다스리는 자여 그는 돋는 해의 아침 빛 같고 구름 없는 아침 같고 비 내린 후의 광선으로 땅에서 움이 돋는 새 풀 같으니라 하시도다(삼하 23:3-4)

하나님을 경외하는 사람만이 사람들 간의 관계에서 발생하는 정치적, 경제적, 사회적 문제들 속에서 진정한 공평과 정의를 지킬 수 있고 또 효과를 발휘할 수 있습니다. 주님이 허락하시지 않으시면 참새 한 마리가 몇 데나리온에 팔리는 일도 허락되지 않습니다.

우리 당은 이런 공의의 원칙에 입각하여 정치 공학을 형성하고자 합니다. 동양 사상의 敬天 愛人 중 愛人에 해당하는 부분이라고 볼 수 있습니다. 다윗이 사무엘하 23장 3절에서 하나님의 말씀을 대변한 부분 중 '사람을 공의로 다스리는 자(when one rules over men in righteousness)'에 해당합니다.

공의 정치에 대하여 수많은 말씀들이 성경에 나옵니다. 이사야서가 그 대표적인 성경입니다. 이사야서 9장 7절에 다음과 같은 말씀이 있습니다.

"그 정사와 평강의 더함이 무궁하며 또 다윗의 위에 앉아서 그 나라를 굳게 세우고 자금 이후 영원토록 공평과 정의로 그것을 보존하실 것이라. 만군의 여호와의 열심이 이를 이루시리라." (Of the increase of his government and peace there will be no end. He will reign on David's throne and over his kingdom, establishing and upholding it with justice and righteousness from that time on and forever. The zeal of the Lord Almighty will accomplish this.)

공평하고 정의로운 세상이 어떤 모습인지는 다음의 말씀을 보면 정확히 알 수 있습니다.

불의한 법령을 발포하며 불의한 말을 기록하며 내 백성의 가련한 자의 권리를 박탈하며 과부에게 토색하고 고아의 것을 약탈하는 자는 화 있을진저 너희에게 벌하시는 날에와 멀리서 오는 환난 때에 너희가 어떻게 하려느냐..죽임을 당한 자의 아래에 엎드러질 따름이니라 그럴지라도 여호와의 노가 쉬지 아니하며 그 손이 여전히 펴지리라(사10장 1~4)

즉 공의로운 정치란 가련하고 가난한 국민들의 권리를 지켜주는 법을 제정하고 과부나 고아 나그네 이방인 등 사회적 약자를 보호하며 그들에게 희망을 주는 정치입니다. 우리는 이 땅 가운데 이런 정치를 펼치고자 합니다. 정약용 선생이 목민심서를 통해 꿈꾸었던 정치가 바로 이런 공의 정치입니다. 예수님이 말씀하셨던 만인을 섬기는 목자의 '섬기는 정치'를 뜻하기도 합니다.

## 3) 인물 공의(人物 公義)

로마서 11장 36절에 다음과 같은 말씀이 있습니다.

이는 만물이 주에게서 나오고 주로 말미암고 주에게로 돌아감이라 그에게 영광이 세세에 있을지어다 아멘 만물에 대한 하나님의 뜻이 이러하니 하나님의 사람들이 만물을 어떻게 대해야 할 지 잘 알 수 있습니다. 사람과 만물의 관계에서 타락한 인간들로 말미암아 만물이 파괴되고 있습니다. 만물을 하나님 앞에서 조화롭게 다스려야 할 사람들이 그 직분을 망각하고 있습니다.

### 아리랑당은 이 일을 충실히 해내고자 합니다.

하늘에 있는 모든 영들과 땅에 있는 모든 사람들, 그리고 모든 피조물들이 예수 그리스도를 주님으로 모시고 하나님만을 섬기는 세상을 만들어 모두가 온전하고 행복하며 모두에게 아름다운 세상을 만들어내는 것이 최종 목표입니다. 자연 만물이 본질적으로 훼손되거나 갈등됨이 없이 조화롭게 상호 보완하여 그리스도 안에서 완전한 세상이 되는 일입니다.

하늘에 있는 것이나 땅에 있는 것이 다 그리스도 안에서 통일되게 하려 하심이라(엡 1:10)
하나님도 하나이시니 곧 만유의 아버지시라 만유 위에 계시고 만유를 통일하시고 만유 가운데 계시도다(엡 4:6)

## 2. 아리랑이라는 당명은 어떻게 만들어졌나

# A R I R A N G

Absolutely (완전히)
Righteous (의로우신)
Immanuel (우리와 함께 하시는 하나님)
Reign (통치)
Amid (..속에)
National (국민적, 민족적)
Governments (통치체들)

## 1) 아리랑당 사이트명인 irparty.com이 만들어지는 과정

하나님께 오랫동안 구해왔습니다. 우리 당의 당명을 지어주시라구요. 보다 분명히 보여주시길 간청해 왔습니다.

1993년에 '나라와 의'라는 단체를 만들었는데, 이 단체명을 바로 당명으로 쓸 생각도 있었습니다. 1995년에 처음 '대한 공의당'이라는 당명을 지었습니다. 당시 지금의 새천년 민주당에서 당명을 공모했고 제가 제안했던 당명이었는데 이 때는 다음의 말씀에서 착안했습니다. 이 안이 채택되지 않았고, 저는 개혁신당에 들어가서 활동한 후 개혁신당이 지금의 한나라당과 합당하자 탈당하여 '대한 공의당' 창당을 시작했습니다.

이사야서 9장 7절, 그 정사와 평강의 더함이 무궁하며 또 다윗의 위에 앉아서 그 나라를 굳게 세우고 자금 이후 영원토록 공평과 정의로 그것을 보존하실 것이라. 만군의 여호와의 열심이 이를 이루시리라. (Of the increase of his government and peace there will be no end. He will reign on David's throne and over his kingdom, establishing and upholding it with justice and righteousness from that time on and forever. The zeal of the Lord Almighty will accomplish this.)에 나오는 '공평과 정의' 영어로는 'justice and righteousness' 두 단어에서 착안했습니다. 공평(justice)과 정의(righteousness)를 추구하여 대한민국과 이 세계를 아름답게 만들고자 한다는 의미로 '대한 공의당'이라는 당명을 지었습니다.

1999년에 서울 송파갑 재선을 앞두고 우리 당 창당 추진위의 인터넷 사이트를 만들면서 도메인 명을 www.jusrig.com으로 만들었습니다. 공평(justice)과 정의(righteousness)의 합성어로 영문자의 앞 세 글자를 떼어내 붙인 단어입니다. 지금 우리 사이트의 왼편 상단에 있는 디자인이 그렇게 만들어졌습니다.

당 인터넷 사이트를 만들면서 인터넷 정당을 표방했습니다. 그런데 많은 분들이 www.jusrig.com 이라는 도메인 명을 언뜻 알아듣기 어렵다고 하셨고 2000년 4월 13일 총선을 앞두고 다른 도메인 명을 찾고 있었습니다. 그러다가 2000년 1월 11일 www.irparty.com으로 도메인 변경했는데 다음과 같은 일이 있었습니다. 이 날 새벽에 irshow 라는 영문 단어를 꿈에서 보았습니다. 너무 깜짝 놀라 일어났습니다. '도대체 이 단어가 무슨 뜻인가?' 하고 궁금히 생각했습니다. 그러다가 깨닫는 바가 있었습니다.

기존에 인터넷 ir(investment relations 투자 관계 전문 정보 회사)를 하려고 준비했던 irparty.com이란 도메인을 보유하고 있었는데 이는 ir을 하는 party를 여는 사이트라는 뜻이었습니다. 이 꿈을 꾸고 나서 생각해 보니 irparty 보다는 irshow 라는 단어가 그 사업에 더욱 적절하다는 생각이 들었고, irparty 라는 단어는 인터넷 공의당 (internet righteousness party) 라는 정당명의 도메인으로 더욱 어울린다는 생각을 했습니다.

그래서 새벽에 급히 irshow.com 이라는 도메인을 등록했고, 아침에 각종 검색 사이트의 우리 당 도메인 주소를 jusrig.com 에서 irparty.com 으로 변경하게 되었습니다. 이후 이 도메인과 관련하여 이니셜의 의미를 계속 추가했고 지금처럼 사이트 도메인 명 irparty.com은 Immanuel reign, Immanuel('God with us'의 뜻) righteousness, international righteousness, internet righteousness 의 첫 철자 i와 r에 정당의 영어 단어 party를 합쳐 만든 것으로 알려져 있습니다. 우리와 함께 하시는 하나님의 나라와 하나님의 통치, 하나님의 공의를 추구하는 당, 세계 공의당, 인터넷 공의당의 의미이며 '아이 알 파티'로 읽어주시면 됩니다. 아이들도 알아주는 파티가 되도록 할 것이라는 의미도 집어넣었습니다.

## 2) 아리랑이 당명이 되는 과정

그리고 그간 당명을 '인터넷 공의당 창당 추진위' 등의 이름을 임시적으로 써오다가 확정적 이름을 주시라고 기도드려 왔습니다. '인터넷'이라는 명칭이 당명의 처음에 있어서 일종의 가상 정당처럼 여겨지는 일이 있어서 이 단어를 떼어내야 한다는 생각이 들었습니다. 당명이 공모되었고 '공의당', '임마누엘 공의당', '예수 공의당' 등이 거론되었습니다. 하지만 토론을 여러번 거쳐도 의견이 모이지 않았습니다. 그러던 어느 날, 정확히 말씀드리면 2002년 1월 22일 아침에 꿈을 꾸었습니다. 이 꿈을 함께 생각해 보고 따져보고 검증해보길 원했습니다. 이 꿈이 하나님께서 당명에 대한 답으로 분명히 보여주신 꿈인지 아니면 그저 무의미한 꿈인지를 따져보고 싶었습니다.

두 번의 꿈을 연속으로 꾸었는데, 첫 번째 꿈은 바다에서 해가 떠오르는 꿈이었습니다. 강렬한 태양이 바다 위로 떠올라 있었습니다. 사무엘하 23장 3~4절에 다음과 같은 말씀이 있습니다. 다윗은 마지막으로 하나님의 신에 충만하여 하나님의 말씀을 다음과 같이 전했습니다.

이스라엘의 하나님이 말씀하시며 이스라엘의 바위가 내게 이르시기를 사람을 공의로 다스리는 자, 하나님을 경외함으로 다스리는 자여 저는 돋는 해 아침 빛 같고 구름 없는 아침 같고 비 후의 광선으로 땅에서 움이 돋는 새 풀 같으니라 하시도다(삼하23:3~4)

여기 돋는 해와 같은 당이 되라고 주신 꿈이라고 해석했습니다.

두 번째 꿈은 제가 존경하는 은사님 중 한 분이신 초등학교 6학년 강대택 담임 선생님(2002년 현재 전북 진안 외궁 초등학교 교장선생님)을 꿈에서 뵈었는데 제가 여러 친구들과 함께 있었고, 선생님은 저에게 당명을 '아리랑당'으로 하여야 한다고 말씀하셨습니다.

아리랑 TV 가 있습니다. 그런데 우리가 '아리랑당'이 되어야 한다는 말씀이셨습니다. 꿈에서도 당황했습니다. 전혀 예상하지 못한 당명이어서 그랬습니다. 그리고 꿈에서 깨어 많이 당황하였고, 만약 이꿈이 하나님이 주셨다면 아리랑의 의미를 우리 당이 가는 길과 맞추어 해석할 수 있도록 해주시라고 기도드렸습니다. 임마누엘 공의당, 예수 공의당 등이 논의되었는데 전혀 다른, 생각지도 못했던 당명이 주어졌기 때문입니다.

우리는 하나님 경외 정치, 공의 정치를 분명히 표현하는 당명을 짓기 원했습니다. 여기에 아울러 이 내용을 담는 한국적 단어를 발견할 수 있다면 좋겠다는 생각을 했는데 '아리랑'이라는 단어는 이와도 너무 먼 단어라는 생각이 들었습니다. 마치 돼지고기를 부정시하는 베드로에게 돼지고기를 먹으라고 하늘에서 돼지고기가 내려오는 것과 같은 상황을 만났다고 볼 수도 있습니다. 우리는 하나님의 이름이 들어간 당명을 짓기 원했는데 '아리랑당'은 그와 전혀 어울리지 않는다는 생각이 들었습니다.

　꿈에서 선생님을 뵙는 것은 사회적 의무, 도덕적 교훈과 관련이 있다는 통상적인 꿈 해석이 있습니다. 고등학교 때 선생님도 아니시고, 대학교 때 교수님도 아니시고 초등학교 6학년 때 선생님을 통해 이 당명을 주신 이유가 무엇일까를 고민했는데, 이는 정치란 전 국민을 상대로 하는 것이기에, 현재 국민 의무 교육의 최종 단계인 초등학교 6년생 정도의 수준에서 결정되어야 한다고 주신 의미라고 생각했습니다. 이 꿈에 대해 하나님께 여쭤보기로 했습니다. 그래서 하나님께 구했습니다. 이 꿈을 정말 하나님이 주셨는지, 그리고 그러셨다면 어떤 의미로 사용하라고 그러신 것인지.

　아리랑의 이니셜들이 떠올랐습니다. 그 자세한 내용은 아래에 있습니다. 또한 인터넷 사이트에서 '아리랑'에 대해 찾아보았습니다. 우리가 너무도 잘 알고 있는 아리랑이기에 깊이 있게 살펴 본 적이 별로 없는데 관련 글들을 보면서 우리 당의 가는 방향과 무관하지 않은 단어임을 알게 되었습니다. 서점에 가서 몇 권의 아리랑 관련 서적을 보았습니다.

　[아리랑 그맛, 멋, 그리고] (김영갑 저) 등등. 태백산맥의 저자 조정래 씨의 소설 아리랑도 있습니다. 일제 시대를 배경으로 한 소설입니다. 아리랑은 서민들의 애환과 민족의 한이 서린 노래였고, 각 지방별로 그 시대에 맞는 독특한 노래들을 바닥으로부터 만들어내고 있었습니다. 아리랑은 크게 3가지로 분류될 수 있습니다.

**첫째, 신가 [神歌]** (지금 우리 식으로 하자면 복음송입니다. 마치 흑인들의 영가 식입니다.)

우리나라는 기독교 국가가 아니지만, 애국가에 '하느님이 보우하사 우리 나라 만세'라는 구절이 있습니다. 우리 민족은 고래로 하느님을 섬겨왔습니다. 사도 바울이 '너희가 알지 못하고 부르던 신'이 바로 우리가 전하는 '하나님', '그리스도 예수'라고 전했습니다. 한민족이 정확히 알지 못하고 부르던 '하느님'이 바로 우리의 '예수님'이심을 우리는 전하고자 합니다. 이 민족은 아리랑을 통해 이렇게 하느님을 찬양했습니다. 우리는 이 민족이 알지 못하고 불렀던 '하느님'을 정확하게 알려주는 일을 하게 됩니다. 이런 점에서 '아리랑당'은 이니셜만이 아니라 표면적 의미로도 적절하다고 볼 수 있습니다.

**둘째, 노동요** (특히 강원도 등에서는 산악요이기도 합니다. 산을 타고 다니며 살아가던 화전민들의 애환을 담고 있습니다.)

아담에게 주셨던 '노동'의 명령을 수행하는 노래입니다. 아담은 타락하여 이 일에서 실패했고 '저주받은 노동' 아래 신음하게 되었습니다. 자본주의는 이 저주에 천민주의적 자본가들의 '노동 착취'라는 악행을 더하여 이 세상을 더욱더 힘들게 만들었습니다. 그러나 '예수님'을 통해 거듭난 하나님의 사람들은 이제 '본원적 노동', '창조적 노동', '축복의 노동'을 할 수 있게 되었고 이런 노동을 온 세계에 확대해야 할 소명이 있습니다. 무엇을 먹을까 무엇을 마실까를 염려하는 노동이 아니라, 하나님의 나라와 하나님의 의를 먼저 구하는 아름다운 노동입니다. 우리 당은 이런 '아름다운 노동', 하나님이 주신 소명을 실천하는 '노동의 정당'입니다. 이런 점에서도 '아리랑당'이라는 명칭은 적절하다고 봅니다.

**셋째, 민요** (서민들의 여러 개인적, 민족적 애환을 담고 있습니다.)

원산 아리랑의 '신고산이 우르르르 함흥차 떠나는 ----'에는 가난한 모녀가 가난에 시달리다 고리 대금업자에게 그 딸이 팔리는 일이 벌어지는 과정에 그곳을 떠나 서울로 가는 기차를 타게 되는 안타까운 사연이 노래되어 있습니다.

"불의한 법령을 발포하며 불의한 말을 기록하며 내 백성의 가련한 자의 권리를 박탈하며 과부에게 토색하고 고아의 것을 약탈하는 자는 화 있을진저 너희에게 벌하시는 날에와 멀리서 오는 환난 때에 너희가 어떻게 하려느냐..죽임을 당한 자의 아래에 엎드러질 따름이니라 그럴지라도 여호와의 노가 쉬지 아니하며 그 손이 여전히 펴지리라"(사10:1~4)

경제적 약자, 사회적 약자들은 오늘날도 계속 고통을 받고 있습니다. 아리랑당이 바로 이러한 약자 분들의 천부적 권리를 보호하려는 정당이 되려고 한다는 점에서 아주 유효한 당명이라고 할 수 있습니다.

위에서 본 사무엘하 23장의 말씀 '이스라엘의 하나님이 말씀하시며 이스라엘의 바위가 내게 이르시기를 사람을 공의로 다스리는 자, 하나님을 경외함으로 다스리는 자여'에 나오는 정치인들의 무리를 부르기에 어울리는 당명이라고 할 수 있습니다. 우리 당이 이 일을 충실히 수행했을 때 우리는 위의 말씀에 바로 이어주신 하나님의 말씀인 '저는 돋는 해 아침 빛 같고 구름 없는 아침 같고 비 후의 광선으로 땅에서 움이 돋는 새 풀 같으니라 하시도다'의 복이 이루어지리라 믿습니다.

우리는 민족의 진정한 자주 독립을 이루어내는 정당이 되고자 합니다. 이 점에서 광복군의 정신을 이어받습니다. 이런 관점에서도 당명으로 '아리랑'은 유효하다고 봅니다. 한때 이 나라의 통일 국호를 '아리랑'으로 하자는 이야기도 있었습니다. 일제 시대를 거치면서 해외로 쫓겨난 수많은 동포들이 지금도 어려움 가운데 있습니다. '아리랑'은 이들의 노래입니다.

탈북자들은 중국에서 크나큰 어려움에 처해 있습니다. 대한민국 정부는 이 일에서도 제 목소리를 낼 수 없는 상황입니다. 우리 당은 600만 재외 동포의 한을 풀어주는 당이 되고자 합니다. 특히 중국, 일본, 남미 등지의 동포들의 한을 풀어주는 당이 되고자 합니다. 이스라엘이 바벨론 유수 등으로 고통을 겪은 이유는 민족적 불의함 때문이었습니다. 우리 민족도 마찬가지의 역사적 경험이 있고, 아직도 이 문제는 해결되지 않았습니다.

예레미야서 29장에 다음과 같은 말씀이 있습니다.

10 여호와께서 이와 같이 말씀하시니라 바벨론에서 칠십 년이 차면 내가 너희를 돌보고 나의 선한 말을 너희에게 성취하여 너희를 이곳으로 돌아오게 하리라 11 여호와의 말씀이니라 너희를 향한 나의 생각을 내가 아나니 평안이요 재앙이 아니니라 너희에게 미래와 희망을 주는 것이니라 12 너희가 내게 부르짖으며 내게 와서 기도하면 내가 너희들의 기도를 들을 것이요 13 너희가 온 마음으로 나를 구하면 나를 찾을 것이요 나를 만나리라 14 이것은 여호와의 말씀이니라 나는 너희들을 만날 것이며 너희를 포로된 중에서 다시 돌아오게 하되 내가 쫓아 보내었던 나라들과 모든 곳에서 모아 사로잡혀 떠났던 그 곳으로 돌아오게 하리라 이것은 여호와의 말씀이니라

해외 600만 동포의 한이 풀리는 것은 우리 민족이 하나님께 돌아오는 길 밖에 없습니다. 우리 당은 이들의 한의 노래를 앞세우고 이 일을 이루어내고자 합니다. 신명기 28장 1~7절에 보면 이스라엘 민족이 어떻게 복을 받을 수 있는지 하나님이 말씀해 주십니다. 이는 단순히 이스라엘에만 그런 것이 아니라, 세계 모든 민족에게 공통되는 원칙이라고 볼 수 있습니다.

1 네가 네 하나님 여호와의 말씀을 삼가 듣고 내가 오늘날 네게 명하는 그 모든 명령을 지켜 행하면 네 하나님 여호와께서 너를 세계 모든 민족 위에 뛰어나게 하실 것이라 2 네가 네 하나님 여호와의 말씀을 순종하면 이 모든 복이 네게 임하며 네게 미치리니 3 성읍에서도 복을 받고 들에서도 복을 받을 것이며 4 네 몸의 소생과 네 토지의 소산과 네 짐승의 새끼와 우양의 새끼가 복을 받을 것이며 5 네 광주리와 떡반죽 그릇이 복을 받을 것이며 6 네가 들어와도 복을 받고 나가도 복을 받을 것이니라 7 네 대적들이 일어나 너를 치려 하면 여호와께서 그들을 네 앞에서 패하게 하시리니 그들이 한 길로 너를 치러 들어왔으나 네 앞에서 일곱 길로 도망하리라

우리 당은 이 민족을 세계 만민 위에 우뚝 세우기를 원합니다. 그간의 모든 한을 풀어내고 하나님을 섬김으로 세계 만민 위에 자랑스런 민족으로 세우고자 합니다. 이 민족이 조선 말의 타락으로 돌아가 일제 시대의 저주를 다시 받지 않게 되기를 원합니다.

이는 신명기 28장의 다음 말씀으로도 잘 알 수 있습니다.

14 내가 오늘 너희에게 명령하는 그 말씀을 떠나 좌로나 우로나 치

우치지 아니하고 다른 신을 따라 섬기지 아니하면 이와 같으리라 15 네가 만일 네 하나님 여호와의 말씀을 순종하지 아니하여 내가 오늘 네게 명령하는 그의 모든 명령과 규례를 지켜 행하지 아니하면 이 모든 저주가 네게 임하며 네게 이를 것이니 16 네가 성읍에서도 저 주를 받으며 들에서도 저주를 받을 것이요 17 또 네 광주리와 떡 반 죽 그릇이 저주를 받을 것이요 18 네 몸의 소생과 네 토지의 소산과 네 소와 양의 새끼가 저주를 받을 것이며 19 네가 들어와도 저주를 받고 나가도 저주를 받으리라 20 네가 악을 행하여 그를 잊으므로 네 손으로 하는 모든 일에 여호와께서 저주와 혼란과 책망을 내리 사 망하며 속히 파멸하게 하실 것이며 21 여호와께서 네 몸에 염병 이 들게 하사 네가 들어가 차지할 땅에서 마침내 너를 멸하실 것이 며 22 여호와께서 폐병과 열병과 염증과 학질과 한재와 풍재와 썩는 재앙으로 너를 치시리니 이 재앙들이 너를 따라서 너를 진멸하게 할 것이라

이스라엘이 이런 저주를 받은 가장 큰 이유는 '하나님을 경외하지 않은 일'과 '사람을 공의로 다스리지 않은 일' 때문이었습니다.

'아리랑' 노래는 각 지역마다 있습니다. 가사도 곡도 다른 노래이지 만 그러면서도 '아리랑'이라는 명칭으로 통일되어 있습니다. 이 나라 엔 지역간, 계층간, 계급간, 성별간 많은 갈등이 잔재해 있습니다. 우 리 당은 통합의 정치를 이루어내고자 합니다. '아리랑'의 통일 정신을 이어받아 이러한 통합 정치, 조화 정치를 하나님 안에서 실현하고자 합니다.

'아리랑'은 미완성의 노래이며 계속 만들어지는 노래입니다. 우리 는 우리 시대에 맞는 '아리랑'을 부를 수 있습니다. 이제 하나님을 섬 기는 민족으로서의 '아리랑', 세계적 지도국가로서의 '아리랑'을 부를

수 있어야 합니다.

　아리랑의 영문 이니셜을 우리 당의 가는 길과 연결시켜 해석해낼 수 있도록 하나님께 기도드렸습니다. 그런데 신기하게도 맞아떨어지는 이니셜이 떠올랐습니다.


　Absolutely (완전히)
　Radical(근본적인)
　Immanuel (우리와 함께 하시는 하나님)
　Righteousness (의)
　Amid (..속에)
　National (국민적, 민족적)
　Governments (통치체들)


　'국민적 통치(민주제)체들 속에서의 완전히 철저한, 우리와 함께 하시는 하나님의 의(義)'


　철저한 神主公義 정당, 아리랑 당


　Absolutely (완전히)
　Revolutionary(혁명적인)
　Immanuel (우리와 함께 하시는 하나님)
　Righteousness (의)
　Amid (..속에)
　National (국민적, 민족적)
　Governments (통치체들)


　Absolute (완전한)

Reign(통치)

In (로)

Righteousness (의)

Amid (..속에)

National (국민적, 민족적)

Governments (통치체들)


Absolutely (완전히)

Righteous(의로우신)

Immanuel(우리와 함께 하시는 하나님)

Reign (통치)

Amid (..속에)

National (국민적, 민족적)

Governments (통치체들)

아리랑은 그 이니셜을 통해 그 핵심에 하나님의 나라와 의를 담고 있으며, 남북 통일, 동서 화합에 도움이 되는 당명입니다. 다양성과 통일성이 아리랑에 있습니다. 우리 민족이 지향해야 할 바입니다. 하나님 안에서 통일되면서도 각자에 맞는 다양성을 확보하는 것, 이것은 세계 각 민족이 해야 할 일이기도 합니다.

이 점에서 아리랑은 국제적 용어가 될 수 있고 우리 당이 지향하는 국제적 정당 연합 체제에도 어울리는 형태입니다. 아리랑이 러시아 말 아르에서 유래했다는 설도 있습니다. 해외에서도 아리랑이 불려지고 있습니다.

북한에 아리랑 축전이 있습니다. 아리랑은 남과 북 모두의 노래입니다. 향후 사회주의와 자본주의의 통일에서 아리랑은 큰 역할을 하게 될 것입니다. 우리 당은 남북을 통일시켜야 하는 시대적 소명을 가지고 있습니다. 이 점에서 '아리랑당'이라는 당명은 아주 유효하다고 봅니다. '자유', '민주', '정의' 등의 용어는 사용자에 따라 그 의미가 너무도 상반되는 결과를 가져왔습니다. 독재 정권이 '자유'라는 말을 가장 많이 썼고, 반민주적인 정권이 '민주'라는 용어를 당명으로 사용하고, 불의한 군사 정권이 '정의'를 그 당명에 사용했습니다. 정치 현장에서 이런 용어 자체가 어떤 효력을 지니기에는 이미 너무도 오염되었으며 모호한 뜻이 되어 버렸다고 봅니다.

'공의'라는 단어는 정치 용어라기보다는 기독교적 용어입니다. 우리는 이 단어를 현실에 성육신시킬 필요가 있습니다. 이 민족에게 '공의'를 이야기하고 설명하는 데는 어려움이 있습니다. 오히려 쉽게 이 민족의 피에 흐르고 있는 느낌에 다가설 필요가 있습니다. 아리랑은 그 점에서 위에서 밝힌 바와 같이 서민들이 쉽게 공의와 연계시킬 수 있는 적절한 단어입니다. 어떤 점에서 '공의'의 '시청각적' 단어 형태라고 할 수 있습니다. 하나님은 선지자들을 통해 말씀하실 때, 오지병을 깨뜨리신다든지, 온 몸을 벗기우신다든지 하시는 이미지 사용적 메시지 전파법을 사용하실 때가 있으셨습니다. 우리가 '아리랑'을 당명으로 쓰는 것이 이런 차원에서도 유효하다고 봅니다.

지난 2002 월드컵 경기를 통해 보았듯이 오히려 젊은 세대에서 보다 민족주의적이 되고 있습니다. 그들이 외치는 '대 ~ 한 민 국'은 나라 사랑의 표현이며, 그들이 부르는 응원가 '아리랑'은 그 노래입니다. 이런 점에서 향후 우리 당의 주요 기반으로서의 자라나는 세대에게 '아리랑 당'은 낯설지 않은 당명이 되리라고 봅니다.

정치는 어렵지 않아야 합니다. 내용은 심오하면서도 표면은 따뜻해야 합니다. 지금까지 한국 정당사에서 이런 당명을 가져본 당이 없습니다. 이념적 표현으로 무장된 당명의 정당들이 난무했으며, 이들은 그 이념과 상관없는 정치를 했습니다. 우리는 이제 새로운 시도를 합니다. 이 시도의 성공은 우리에게 있는 것이 아닙니다. 오병이어가 능력을 가진 것이 아닙니다. 그 오병이어를 통해 하나님이 역사하실 뿐입니다. 우리는 우리의 시도에 하나님이 역사해주시길 간절히 바랍니다. 그런 점에서 제가 꾼 꿈은 오병이어에 지나지 않는다고 봅니다. 하지만 하나님이 쓰시면 오천 명을 먹이시는 물고기 두 마리와 보리떡 다섯 개가 된다고 믿습니다.

## 3. 창당 추진 과정

### 1) 기존 정치권과 별개의 독자 정당 추진

1996년 1월    김광종, 개혁신당이 민주당과 통합을 결정하자 탈퇴하고 개혁 신당 내 일부 인사들과 독자적 정당 결성을 결의.

1996년 2월    김광종, 이사야서 9장 7절에 나오는 '공평과 정의'의 가치 위에 정치 활동을 할 것을 다짐하는 '대한 공의당' 창당 준비.

1996년 4월    창당 미완료로 김광종, 15대 총선에 전주 완산구에서 무소속으로 출마.

### 2) 인터넷 정당으로의 변모 시도

1999년 1월    www.jusrig.com(인터넷정당) 과 www.jmews.com(인터넷뉴스토론사이트) 도메인 명 등록

1999년 4월    '대한 공의당'을 인터넷 정당 체제로 만들 것을 결의

1999년 5월    인터넷 정당 '대한 공의당' 홈페이지 출범(한국 최초 인터넷 정당 창추위 출범)

1999년 6월    서울 송파갑 국회의원 보선에 출마 준비.
             당시 한나라당 이회창 총재, 민주당 김희완 씨 출마.
             김광종 후보는 무소속으로 출마 준비하였는데, 추천인
             320명 중 일부가 싸인으로 서명해서 300명 확보하지 못
             하여 무산됨.
2000년 1월    11일. www.irparty.com으로 도메인 변경
2000년 4월    총선에 대한 공의당 후보 출마 추천 및 지원 활동
2000년 4월    4.13 총선(16대)에 김광종, 전주 덕진구 무소속 출마

### 3) 서울 지구당 개척

2000년 4월    총선 과정에서 알게 된 인연으로 대학생선교단체 새벽
             이슬, 성토모 등의 일부 간사들과 접촉.
2001년 4월    서울 모임 시작. 서울 지부장 이재원 선출
2001년 7월    서울 모임 장소 변경
             (강남역 근처 두레선교회 사무실, 강태욱 등 참여)

### 4) 당명 변경 추진

2001년 중반   당명 결정에 관한 논의 시작
             (대한공의당, 인터넷공의당, 임마누엘공의당 등에 관한
             토론)
2001년 10월   27일. 서울 사무실 개소식
             (마포구 성산동에서. 성토모, 새벽이슬 등과 함께)
             공의당 경제팀장에 박창수 님 위촉.
             공의당 청년조직팀장에 이은창 님 위촉.
2002년 1월    22일. 당명 아리랑 당에 관한 논의.
2002년 9월    마포 성산동 당사를 염리동 당사(이대 근처)로 옮김

### 5) 당명 '아리랑' 확정 후 본격 창당 추진
2002년 11월  16일. '아리랑당 창당추진위'로 당명 확정
2004년 1월    '한국기독당' 과 정책토론회

| | |
|---|---|
| 2004년 4월 | 3일. 아리랑당 창당발기인대회.<br>(20명의 창당발기인들이 모여 가난한 사람을 섬기기<br>위한 '아리랑당' 창당 추진 결의)<br>아리랑당 창당준비위원회 출범 |
| 2004년 4월 | 15일 영등포 중앙당사(영등포 7가) 및 당원 숙소(양평<br>동 4가) 개소. |
| 2004년 6월 | 19일. '성토모(성경적 토지 정의를 위한 모임)'와 정책<br>토론회 |
| 2004년 11월 | 제2차 아리랑당 창당발기인대회(명지대학교) |
| 2005년 7월 | 제3차 아리랑당 창당발기인대회 (대구하늘교회) |
| 2007년 7월 | 가난한 분들을 섬기기 위한 느헤미야 펀드 조성 |
| 2009년 현재 | 매주 토요일 7시 홈페이지를 통해 아리랑당 성경공부<br>모임 생중계 |

# New Chapter

# Contents

# 세금이 아니라 임대료와 배당금으로 운영되는 국가 재정

대한민국과 세계의 공통 문제 중 가장 중요한 문제인 주택 문제에 대한 대안 중 하나로 국유화와 민유화를 들 수 있다.

지금 방식의 약육 강식의 주택 시장을, 조세 정책이나 단순 공급 정책을 아무리 써간다고 해도, 결국 민간 부문의 부의 격차는 이 시장에서 국가와 은행과 부자들의 승리로 끝나게 되고 대부분의 서민들은 주택가격과 임대가격 그리고 세금 문제, 대출 문제로 큰 고통을 더욱더 겪을 수 밖에 없게 된다.

창세기 47장에 보면 요셉이 이집트의 풍년과 흉년을 이용하여 애굽의 토지법을 세우는 장면이 나온다. 대부분의 민간 소유 토지를 바로 소유로 전환한다. 사회주의 방식인가 아니면 국가주의인가? 자본주의 방식인가?

이는 후에 이스라엘이 가나안 땅을 차지한 후의 토지법과는 상당히 다른 방식인데 그러나 그 내면으로 보면 결국은 거의 비슷한 것으로 보인다.

단순한 이야기 같지만, 요셉은 어떻게 이런 방법을 쓰게 되었고, 하나님께서는 어떻게 이런 지혜를 주셨는지 놀랍다.

성경에는 크게 요셉식의 토지법과 모세식의 토지법, 그리고 예수님의 토지법 또는 성령 강림 후 토지법이 있다고 볼 수 있고, 이는 오늘날 토지공개념과도 연결될 수 있는데 주의하지 않으면 안식일법처럼 되어 안식일에 병자를 고치는 예수님을 비방하는 서기관과 바리새인식의 안목을 가질 수도 있게 된다.

노무현 정부 이후로 헨리조지의 진보와 빈곤이라는 저서에 기반한 지대조세론에 근거하여 대한민국의 일부 기독인들, 성경적 토지 정의를 세우겠다고 하는 사람들의 견해에 근거하여, 지금 여러 세제 정책들이 마련되었고, 주택 토지 정책들이 수행되고 있는데 많은 문제점들을 노출하고 있다.

아무리 세금을 올려도 이는 문제를 해결할 수 없다. 헨리 조지는 진보와 빈곤에서 한 사회가 더욱 발전할수록 그 결과물이 토지에 집중하게 되고 다수는 토지를 소유할 수 없게 되며 이는 극심한 빈부격차로 이어진다고 본다. 이는 올바른 견해라 할 수 있다. 그런데 이 문제를 풀어내는 그의 방법은 아주 잘못 되었다.

임대 소득에 대해 지대를 국가가 부과함으로써 토지 임대 불로 소득을 환수하면 위의 문제가 해결될 수 있다고 단순하게 말한다. 정책에서 단순함은 아주 좋은 것이다. 그러나 조심해야 할 것이 여기에 있다. 자본소득 등에 부과되는 세금 등을 다 없애고 토지 임대 소득에만 세금을 부과하면 된다고 보는 단일세제론자이기도 하다. 그런데 중요한 귀착점, 즉 거두어들인 세금이 어떻게 다시 토지 무소유자들에게 귀착되는지에 대한 대안을 주지 못하고 있다. 오늘날 대한민국의 주택 토지 관련법도 마찬가지다.

헨리 조지는. 그런데 이런 생각은 아주 잘못되었는데 이를 성경적 토지 정의라고 받아들인 기독인들이 있고, 이들은 이를 희년 개념과도 연결시켰는데 성경도 경제도 잘못 이해하고 있다.

뉴욕 시장 선거에도 출마했던 헨리조지는 미국 주류 ,사회가 그토록 싫어했던 사회주의도 아니고, 그렇다고 문제 많은 자본주의도 아닌 방식으로 미국 사회의 문제를 풀려했고, 그 대안으로 지대조세제, 단일세제론을 만들어냈다.

그런데 이를 성경적 토지 정의라고 하는데, 몇 가지 점을 살펴보면 결코 그렇지 않음을 알 수 있다.

위에서 보았듯이 요셉의 토지법과 모세의 토지법, 에클레시아의 토지법을 통해 보면 지대조세제는 크게 다른 문제를 가지고 있다.

요셉은 처음엔 곡물을 팔아서 돈을 다 거두어들인다. 강제적인 방식은 전혀 없다. 사회주의자들의 강제 몰수가 아니었고, 시장에서 소비자가 원하는대로 팔고 거두어들였다. 이미 풍년 흉년이 예언되었는데, 이집트 국민들 대다수는 이를 믿지 않았다. 마치 노아의 홍수 때 사람들처럼.

바로 앞에서 이미 요셉은 그 꿈을 해석해주면서 대안도 제시했다. 그런데 많은 사람들이 이 대안을 자신에게 적용하지 않았고 큰 위기에 전혀 대처할 수 없었다.

요셉은 그러면 왜 시혜적 복지 정책을 통해 무상으로 그 곡물들을 어려움을 겪는 사람들에게 나누어주지 않았을까! 마치 북한이나 아프리카로 곡물을 무상 제공하는 것과 같은 방식을 쓰지 않았다. 잔인하게 보일 정도의 방법을 요셉 총리는 써간다.

처음에 요셉은 곡물을 팔아서 돈을 다 흡수한다. 돈이 다 떨어지자 사람들은 다시 요셉에게 사정을 호소한다. 가축을 사달라고 했다. 그래서 시장 가격으로 요셉은 그 가축들을 다 사들였다. 이제 가축도 다 팔게 되자 사람들은 자신들의 몸과 토지를 사주고 곡물을 달라고 요청한다. 자신들이 곡물이 떨어져 죽게 되었다고 말하는 사람들에게 요셉은 무상으로 곡물을 배포하지 않는다.

그들의 몸과 토지를 사들였다. 제사장들의 토지 외에는 모두 바로의 토지가 되었다. 그리고 이 토지를 다시 사람들의 노동력에 맞게 임대 분배하여 토지 소산의 오분의 일은 바로에게 바치고 오분의 사는 그 임차인이 가지게 하였다. 이것이 요셉이 세운 이집트 토지법이었다고 창세기 47장에 나온다.

생활 필수재인 곡물의 시장 가격 변동을 통해 이집트의 토지를 몰수히 거두어들였다. 이 과정에서 하나님은 어떤 생각을 가지셨고, 이를 요셉에게 어떻게 지혜를 주셨고, 이는 향후 세계 각국의 토지 정책에 어떤 시사점을 주는지 여러 단서를 찾아볼 수 있다.

놀라운 것은 시장 가격 변동을 이용해서 요셉 총리는 자본, 노동, 토지를 몰수히 거두어들였다는 점이다. 자본주의 생산의 3대 요소를 그렇게 거두어들였다. 이는 바로에게 막대한 이익을 가져다 주었다. 부의 중앙 집중화를 이루었다. 또 요셉 입장에서는 자기 민족이 고센 땅에 거할 수 있는 근거, 지원 대책의 정당성을 부여해주었다. 이스라엘은 가축 사육 전문가였다. 몰수히 거두어들인 가축들이 이스라엘에게 맡기어졌으리라 본다.

하나님께서는 이 7년 풍년, 7년 흉년을 통해 자신이 이끄시는 세계사의 한 기획점을 만들어내셨다. 이를 통해 인구와 부를 축적한 사람은 바로만이 아니라 이스라엘 민족도 있었다.

이스라엘은 여기서 축적된 인구와 자본을 가지고 가나안 땅, 즉 토지 회복의 거대한 준비를 4백여년간 하게 된다.

그리고 출애굽해서, 인구와 자본과 하나님의 법을 가지고 출애굽해서 가나안 토지를 차지하게 된다. 국가의 3대 요소인 국토를 마련하는 작업에 들어가는데 이 때는 시장 경제가 아니라 약탈로 차지한다. 전쟁을 통해 그 땅을 차지하고, 상대 민족을 멸절하면서 나간다. 마치 러시아나 중국에서 자본가들을 다 죽이고 토지를 차지하듯이. 그리고 다시 그 토지를 씨족별로 가계별로 분배한다. 그리고 거기에 희년이라는 토지법을 세우도록 모세의 법이 만들어진다.

이 희년에는 그 토지의 원주인이나 그 후손에게 그 토지가 무상으로 돌려져야 한다. 이미 그 이전의 거래에서 이것이 감안되어 거래되었기 때문이다.

헨리 조지가 말한 세월이 지날수록 생겨나는 빈부 격차를 희년 제도로 풀어낸다는 계획이었다. 이에 대해 모세는 세계 각국 중에서 이스라엘보다 더 공의롭고 대단한 국법과 체제를 가진 나라는 없다고 말씀하신다. 신명기나 레위기 등에 나오는 모세의 경제 관련법은 생활 수단 및 생산 수단의 장단주기 복합 분배 방식이었다. 이는 본인의 저서 "장단주기 분배론"에 자세히 나와 있다.

생활수단은 단기적으로, 자본과 노동은 중기적으로, 토지는 장기적으로 분배를 반복하는 방식이다. 그래서 이자도 없고, 7년이 되면 부채가 자동탕감되는 법이 세워졌고 희년법도 마련되었다.

하지만 이스라엘은 가나안 땅을 차지한 후 이 법을 지키지 않았다. 여러 선지자를 통해 끊임없이 경고 받았지만, 이스라엘의 부자와 권력자들은 이 법을 지키지 않았고 그 서민들을 어렵게 만들었고, 결국 경고대로 이방 국가들에게 망했다.
그럼 다시 처음 문제의 제기로 돌아가서 오늘날 정의로운 토지법은 어떻게 세울 수 있을까?

그 사회의 특성에 따라 두가지 혹은 세가지 방법이 존재할 수 있다고 본다.

## 1. 완전 기독 사회.
국교가 기독교이든지 하는 사회는 모세법을 적용한 토지법이 유효하다고 본다. 다만 당시에 비해 훨씬더 도시 집중화된 자본주의 사회에서 이를 그대로 대입하기는 불가능하고 따라서 국가와 국민의 여러 자금과 연금 등을 통해 공유하는 방식이 필요하다.

지금 유럽 사회 등에 적용할 수 있는 방식으로 국가 임대 아파트, 공무원 연금 소유 아파트, 국민연금 소유 아파트 등을 확대하는 방법이 필요하다.

여기에 맞춰, 교회 공동체에서 주택 소유를 늘려나가고 그 공동체의 구성원들이 사도행전 4장 32-37절의 방식을 원용하면 된다. 유럽 사회가 기독교 사회가 되었음에도 불구하고 봉건제, 절대 왕정을 넘어 자본주의 체제로 넘어가면서 이러한 유토피아를 만들어내는 데 실패함으로써 결국 사회주의 및 공산주의라는 과격한 피를 부르는 사생체제가 발생하도록 만들었다.

그 망령이 아직도 중국과 북한에 남아서 큰 고통을 주변 국가들에 끼치고 있다.

남미 등지의 카톨릭 국가들의 부패 사회도 이 방식으로 해결이 가능하다고 본다.

## 2. 다종교 국가
대한민국과 같은 다 종교 국가들이 이 세계에 많은데 이런 곳들에서는 요셉 방식이 주효하다.

즉 국가나 공적 연금들이 나서서 중심지의 아파트나 주택, 토지들을 대량으로 사들여서 그 형편에 따라 국민들에게 임대료를 받고 주거지를 제공하는 방식이다. 우리나라도 이것을 시행하고 있지만 보다더 적극적으로 시행해야 한다.

중심지의 토지를 사들이는 것이 중요하고, 임대료는 그 거주자의 소득과 재산에 따라 차등 수령하는 디테일한 정책이 필요하다.

## 3. 대한민국의 교회 공동체의 노력

교회 건물과 그 주변 주택들을 교회 공동체가 적극적으로 매수하여 그 교인들이 형편에 따라 거주하도록 하는 일에 적극 나서야 한다.

코로나로 인해 대중 집회가 어려워졌는데, 경매 등으로 매물이 나온 것들을 교계에서 적극적으로 사들여서 교회도 현재의 구조와 다르게 아파트와 교회가 공동으로 들어간 住敎 복합 건물을 지어나가는 것도 한 방법이다.

## 4. 끝으로 현재의 대한민국의 주택 토지 관련 세제 정책이나 세계 주요 국가들의 정책이 어떤 귀결을 가질지 간략히 정리해본다.

재산세나 종합부동산세를 올려 주택 문제를 해결하려 하는데, 자본주의가 발전하면 할수록 어떤 임계 폭발점에 도달하기까지는 계속 그 사회가 부를 축적하게 되고 따라서 중심지의 주택 가격, 대도시의 주택 가격과 임대 가격은 계속 상승할 수 밖에 없다. 그런데 각국의 정부들이 재산세를 계속 올리고 대출을 규제하면, 이 재산세와 대출 문제를 감당할 수 있는 현금 부자들은 오히려 고급 주택의 확보를 늘려갈 수 있게 되고, 이를 감당할 수 없는 서민들은 기존 주택마저 팔아야 하는 아이러니한 상황이 벌어진다.

자본주의가 발달할수록 자본의 소수 집중은 강화될 것이고 따라서 이러한 세제 정책은 고급 주택 가격의 폭등을 관리할 수 없게 된다.

그러므로 처음부터 전혀 다른 방식으로 이 문제에 접근하는 것이 이 문제를 간단히 해결하는 것이 된다. 처음에 이야기했던 것과 같이 국가 소유와 공적 연금 소유, 종교단체나 사회복지법인의 소유를 늘리는 것, 이것 외에는 대안이 없다.

끝으로 은행 자본이 주택이나 토지 시장과 관련하여 약탈적 대출의 주요 수단을 장악하게 되고, 여기에서 파생된 서민 신용 대출도 하나님이 징벌하실 고금리로 유지되고 있다.

주택 문제는 서민들의 생활 자금 이자 문제와도 크게 관련이 있다. 어떻게 우리가 무이자 사회로 갈 수 있을지에 대해서도 깊은 고민이 필요하다.

이도 기독인들의 주요 고민 중의 하나가 되어야 한다.

예수님께서는 영생을 얻기 원하는 부자 청년에게 그 재산을 팔아 가난한 사람들에게 나눠주고 자신을 따르라고 하셨다. 느헤미야는 포로에서 귀환한 이스라엘 부자와 권력자들의 고리대금에 대해 진노했다. 그런 일들로 인해서 자신들이 하나님의 징계를 받아 나라를 잃고 쫓겨났던 일들을 기억하라고 촉구한다.

하나님께선 세계 모든 나라의 주권자이시다. 하나님께서 원하시는 인류 공동체, 국가 공동체를 만들어내지 못한다면 우리는 언제라도 이곳에서 이스라엘처럼 쫓겨난다.

천국에서는 어떤 방식의 소유가 이뤄지고 있겠는가! 자본주의 방식도 사회주의 방식도 아니고, 사도행전 4장 방식으로 이뤄지고 있다. 우리가 지속적으로 이 방식을 이루는 데 개인적으로나 교회 공동체로나, 국가적으로 도전해야 한다.

기독교인들은 디모데전서에 나오는 것처럼, 자신이 속한 사회의 안녕과 발전을 위해서 노력해야 한다. 이것이 자신들의 신앙 생활에도 크게 도움이 되고, 이를 통해 하나님 나라가 확장되어진다.

지금 한국 사회에서 우리가 이런 일을 해낼 수 있다면, 이는 북한과 중국에도 크게 교훈이 될 것이고, 남북간에도 평화적 통일이 이루어질 것이다. 그러나 만약 남한 사회가 여전히 헬조선 사회로 간다면 북조선에 의한 큰 재앙이 남한 땅에 이루어질 것이다. 마치 이스라엘에 대한 재앙으로 북이스라엘, 남유다가 나뉘어지고, 그리고 앗수르와 바벨론에 의해, 그리고 나중엔 로마에 의해 멸망되었듯이, 중국과 일본 등 주변 강대국에 의해 큰 고통을 다시 치르게 될 가능성이 높다.

그러나 만약 우리가 이곳에 공의로운 체제를 이루어낼 수 있다면 역으로 우리는 동아시아와 아시아 그리고 국제적으로 리더쉽을 갖는 위대한 국가로 발돋움할 수 있다.

국민 연금과 공적 연금, 그리고 국가 자금을 통해 토지와 상장 주식들을 요셉처럼 흡수해가야 한다. 세금으로 국정을 운영하는 것이 아니라, 요셉처럼 임대료로 국정을 운영해갈 수 있어야 한다. 주식 배당금으로 국가 재정을 충당하고 국민들은 열심히 기업을 일구는 방식이 요셉의 방식이다. 잉여 소득이 있는 곳에만 임대료를 받는 방식, 기존의 세제 정책을 완전히 이렇게 바꿔가야 한다.

마지막으로 국민 연금이 어떻게 구체적으로 중심지의 아파트들을 장악해갈 수 있는지 자세히 살펴보도록 하겠다.

국민 연금 내에 새로운 자회사를 만들어도 된다. lh, sh 등과 함께 하는 합작 자회사를 만들어도 된다. 이를 통해 전국 153만200여만 가구를 재건축하고 일반 임대, 국민 임대를 섞어서 누구도 누가 임대 아파트에 얼마에 살고 있는지 모르게 만들어야 한다. 오직 그 자회사와 개별 가구만이 알 수 있다. 예를 들면 강남 수서동의 lh 아파트 5000 여 가구가 가구당 10여 평 대의 작은 평수 임대 아파트로 이미 지어진지 40여년이 되어간다.

15층 아파트이다. 그런데 이 아파트를 50층으로 재건축해서 1만가구로 확대한다. 기존 입주민들은 입주시기에 따라 차등하여 소유권을 넘겨준다. 그리고 나머지 5천 가구 신규 재개발분은 국민연금 소유로 일반인들에게 25평에서 33평 수준의 아파트를 전세나 월세로 시세대로 공급하는 방식을 취하면 된다.

기존 주민들에게도 20평에서 25평을 제공하면 된다. 이런 식으로 수서동 일원동, 세곡동 등지에서도 3만 가구 정도가 신규로 국민 연금 소유로 지어질 수 있다. 그리고 여기에서 회수된 임대료로 서울 등 대도시의 중심지 아파트들을 사들여가면 된다.

이렇게 하면 국민 연금 고갈 문제도 해결된다. 국민 연금으로 넘기지 않고도 국가 소유 아파트로 이렇게 해가도 된다. 거기서 나온 자금으로 아파트 보유 물량을 계속 늘려가면 된다.

세금을 올려서 주택 문제를 해결하는 방식이 아니라, 국가 소유, 공적 연금 소유 아파트를 늘려서 주택 가격 문제를 시장 원리에 따라 해결하는 요셉식 방법이다.

국민연금 고갈 문제도 해결된다. 국가 재정 문제도 해결된다. 국가가 발전하면 할수록 그리고 우리 기업들의 수출이 늘어나고 이익이 늘수록 그 혜택이 국가와 국민 모두에게 골고루 돌아간다. 헨리조지가 고민했던 그 문제는 지대조세제가 아니라 요셉방식의 임대료와 배당금으로 해결될 수 있다.

군인연금, 공무원 연금 등도 이렇게 하면 된다. 그런데 최근에 개포동에 있던 공무원 아파트를 헐값에 팔아버렸다. 이런 일이 다시 일어나면 안된다.

사회복지법인들이 적극적으로 주택 시장에 참여하도록 도우면 된다. 미혼모나 장애인들, 한부모 가정, 생계 곤란 가장을 위한 사회복지법인의 주택 시장 참여를 유도해야 한다.

일반 주택 임대 사업자 혜택은 모두 폐지하고, 오히려 불이익을 주고, 국가와 공적 연금, 그리고 사회복지법인들의 임대 사업에 다양한 혜택을 줌으로써 우리 사회의 주택 문제의 심각성을 영구적으로 해소할 수 있다.

정책은 속으로 아주 정밀하고 복잡해야 한다. 그러나 외면적으로 단순해야 한다. 도스 시절을 넘어서 윈도우로 오면서 그 내면은 더욱 복잡해졌지만, 스마트폰으로 넘어오면서 더욱 그렇게 되었지만, 소비자 입장에서는 인터페이스가 보다 편리하고 간단하게 되었다.

국가의 세제 정책이나 주택 정책, 기업 정책 등도 이렇게 풀어가야 한다. 그런데 지금 반대로 가고 있다.

그러니 국민도 힘들고 국가는 그 정책으로 인해 국민의 신뢰를 잃고 있다.

이제 다시 간단하게 그리고 치밀하게 돌아가야 한다. 국가와 공적 연금 등이 소유하고, 민간은 임대하고 생산하고 임대료를 내는 방식. 세금으로 운영되는 나라가 아니라 임대료와 배당금으로 운영되는 나라를 만들면 된다.

기업들도 적극적으로 사원용 아파트들을 사들여야 한다. 일반 임대가 아니라, 사원용 아파트들을 사들이고 사원 복지에 사용하면 된다. 직주 근접형 근로 조건이 만들어질 수 있다. 그리고 이 기업들은 대부분 국가나 공적 연금이 대주주가 될 것이다. 기업인들은 열심히 일하고 경영하고 국민들은 그 혜택을 골고루 누리는, 시장 친화적인 국가이다. 사회주의도 천민자본주의도 아니고 요셉식 국가이다.

국민들은 자기 능력을 최대한 계발하고 기업과 국가 행정에서 기여하고 국부는 증대될 것이다. 고금리로 시달리는 서민들도 없게 될 것이고, 배당 소득의 증가로 국부는 지속적으로 증대될 것이다. 은행들도 국가와 공적 연금 소유이므로 더이상 예대마진을 통해 약탈적 대출로 서민들의 등골을 휘게 하지 않을 것이며, 좋은 기업들에 투자하고 배당금을 받는 형태로 가게 될 것이다.

대출이 거의 무이자로 이뤄지면서 사회적 생산성은 더욱더 증대될 것이다. 그렇다고 대출이 회수되지 않는 도덕적 해이가 유발되는 일도 늘어나지 않을 것이다.

이미 스위스 중앙은행의 기준금리가 - 0.75%이다. 일본중앙은행도 -0.1%다. 미국도 제로 금리에 가깝다.

이제 선진국으로 들어선 대한민국이 24% 최고금리에 서민들을 노출시키는 것은 불행한 일이다. 이는 헬조선의 근간이 된다. 한국은행 기준금리가 0.5% 인데 서민 카드론 금리가 24%에 육박하게 해선 안된다.

왜 이스라엘에게 동족간에는 무이자로 대출해주라고 하셨을까? 예수님은 꾸고자 하는 자에게 꾸어주라고 하셨다. 당연히 무이자로.

신명기 15장에는 너희가 만일 이와 같이 하면 너희 중에 가난한 사람이 없을 것이고, 국부는 증대되어 이웃 국가들에 꾸어주는 나라가 될 것이며, 꾸지 않는 나라가 될 것이라고 하셨다. 하나님께서 직접 복을 주시는 것도 더욱더 늘어날 것이다.

그러나 이를 지키지 않으면 하늘을 놋으로 만들어버리실 것이라고 경고하셨다.

우리는 대한민국이 이 세계에서 가장 정의롭고 공의롭고 살기 좋은 곳으로 만들어가야 한다. 이것이 하나님의 나라가 이 땅에 이루어지게 해드리는 것이다.

이렇게 되면 북한은 저절로 우리와의 통일을 원하게 될 것이다. 그러나 만약 지금 상태에서 통일된다면 북한도 우리처럼 겉으로는 번지르르하지만, 내면으로는 헬조선인 나라가 되고, 자살률 세계 1위 국가에 포섭될 것이다.

신으로부터 받은 천부적 권리에 대해 주장함으로써, 왕권신수설에 기초한 절대 왕정을 깨고 시민 통치, 민주 사회의 기초, 자본주의의 기초를 놓은 존 로크의 civil government는 이제 다시 하나님으로부터 부여받은 서민들의 절대적 권리인 안정적 주거권과 불량한 고금리로부터 탈출할 수 있는 무이자 대출 권리가 성경으로부터 도출되어야 한다.

만왕의 왕이신 예수님은 온 인류의 죄와 빚으로부터 인류를 구해내시기 위해 십자가를 지셨다. 그런데 예수 그리스도를 믿는다고 하는 사람들조차 자신들의 공동체에 속한 교인들이 빚으로 고통당하고 있는데 고금리와 부동산 투기로 배를 불리고 있다. 포로에서 귀환한 느헤미야의 경고를 들어야 한다.

결국 이스라엘은 포로에서 귀환했지만, 세례요한과 예수님의 경고를 받아들이지 않고 로마에 의해 완전히 멸망되어 2천년

간 나라없는 민족으로 떠돌았다.

이는 대한민국의 기독교인들이 엄중하게 받아들여야 할 교훈이다. 이스라엘조차도 이렇게 역사적으로 여러 차례 가차없이 징계하신 하나님이신데, 대한민국은 더욱 어찌 하실 것인지는 분명하다. 교회가 이 시대의 구원의 방주가 되어야 한다. 단지 천국 방주만이 아니라 공동체 내에서부터 빚 고통에 시달리는 교인들과 부동산 투기의 희생양이 되어 주거 고통을 받고 있는 교인들에게 힘이 되어주어야 한다.

천국 문 앞에서 주님께서 모르신다고 평가받고 쫓겨나기 전에 신속히 교회가 일어나야 한다. 예수님이 배고팠을 때 아무 것도 주지 않은 사람들은 결국 예수님을 모르고, 예수님도 그를 모르시는 바이다.

## 왜 무이자로 동족 간에 돈을 빌려주라 하셨을까!

2천년년, 3천년 전, 4천년 전에 씌여진 성경에선 왜 동족이 돈을 빌려달라고 하면 빌려주고, 그것도 무이자로 빌려주고, 7년이 지나서도 못 갚으면 탕감해주라 하셨을까?

이를 오늘날에 적용하는 것은 시대착오적인 것일까?

모세의 율법이 B.C 1500여년 경에 주어졌으니, 3,500여년 전 말씀이다. 왜 이런 고대에 이자 문제를 말씀하셨을까? 성경에는 이자에 관한 말씀이 여러 차례 나온다.

어떤 성직자들조차 현대에 이를 적용하기란 무리라고 한다.

그런데 고금리에 노출되어본 사람은 알 것이다. 왜 무이자가 중요한지.

하나님께서는 이렇게 무이자로 돈을 빌려주는 사람들에게 복을 내려주실 것이라 말씀하셨다.

지금 대한민국의 기준 금리는 0.5%이다. 1천만원을 대출하면 5만원을 연간 이자로 지불하면 된다. 그런데 카드론 최고 금리가 24%이다. 1천만원을 대출하면 연간 240만원을 이자로 내야 한다.

서민이 1천만원 원금과 함께 추가로 이자 240만원을 1-2년 사이에 갚을 수 있을까? 원금 갚기도 힘든 서민에게 이자를 이렇게 비싸게 받으면 그가 회생할 수 있을까? 영업 이익률이 높은 대기업도 이런 비싼 금리의 회사채를 발행해서 빚을 끌어다 쓴다면 이를 제대로 상환할 수 있을까?

 현재 고금리에 노출되어 있는 대한민국의 서민들이 약 300만 명이고 그 대출액은 7조원 정도로 추산된다고 한다.

 7조원을 정부가 대신 무이자로 빌려주어서 이런 저 신용자들을 도와서 경제 전선에 다시 건강하게 돌아올 수 있게 해주어야 한다.

 이 길이 모두가 사는 것이다. 저신용자, 가난한 사람들이 행복해야 이 나라는 진정 행복한 나라이다. 바로 성경에서 이자 문제를 말씀하신 것은 이런 이유였다고 본다.

 대통령부터 고위 공직자, 국회의원들이 가진 현금을 내놓아 7조원의 기금을 마련하여 저신용자들에게 무이자로 대출해주는 선한 사업을 해보길 바란다.

# 다윗의 분배율

사무엘상 30장에 보면 전장에서 얻은 전리품의 분배율에 관한말씀이 나온다. 이를 오늘날의 여러 경제 분배와 관련하여 적용해볼 수 있다.

국민이 공동 운명체라 했을 때, 그 부가 집중되는 토지나 주택 등의 영역에서 이를 적용하는 것이 바람직하다.

단순히 전리품을 얻는 것만이 아니라 이를 분배하는 일의 비율에서 정의가 확보되지 못하면 국가적으로 큰 문제가 일어난다.

대한민국 부동산 영구 평화도 이런 원칙에 의해 평화안이 마련되어야 한다.

다음은 그와 관련한 사무엘상 20장 말씀이다.

20 다윗이 또 양 떼와 소 떼를 다 되찾았더니 무리가 그 가축들을 앞에 몰고 가며 이르되 이는 다윗의 전리품이라 하였더라
21 다윗이 전에 피곤하여 능히 자기를 따르지 못하므로 브솔 시내에 머물게 한 이백 명에게 오매 그들이 다윗과 그와 함께 한 백성을 영접하러 나오는지라 다윗이 그 백성에게 이르러 문안하매
22 다윗과 함께 갔던 자들 가운데 악한 자와 불량배들이 다 이르되 그들이 우리와 함께 가지 아니하였은즉 우리가 도로 찾은 물건은 무엇이든지 그들에게 주지 말고 각자의 처자만

데리고 떠나가게 하라 하는지라

23 다윗이 이르되 나의 형제들아 여호와께서 우리를 보호하시고 우리를 치러 온 그 군대를 우리 손에 넘기셨은즉 그가 우리에게 주신 것을 너희가 이같이 못하리라

24 이 일에 누가 너희에게 듣겠느냐 전장에 내려갔던 자의 분깃이나 소유물 곁에 머물렀던 자의 분깃이 동일할지니 같이 분배할 것이니라 하고

25 그 날부터 다윗이 이것으로 이스라엘의 율례와 규례를 삼았더니 오늘까지 이르니라

## 합법적 부자의 위험성

 계명을 다 지킨, 율법을 철저히 지킨 부자 청년이 그 재산을 가난한 사람에게 나눠주고 주님을 따르라는 말씀에 심히 고민하며 돌아갑니다.

 그리고 예수님은 부자가 천국에 들어가기가 낙타가 바늘귀로 들어가기보다 어렵다고 말씀하십니다.

 계명을 다 지킬 정도로 그는 준법에 철저했습니다. 그러나 한 가지 부족한 것이 있었는데 이는 아주 심각한 것입니다. 바로 영생을 얻을 수 없는 것. 그 죄는 부를 가난한 사람과 나누지 않는 죄였습니다.

 십일조도 하고, 이웃을 돕기도 했지만, 많은 것 중에 일부만 했을 뿐입니다.

 생명은 모든 것을 걸어야 얻을 수 있는 것입니다. 예수님은 생명을 내놓고 우리를 죄에서 구하셨습니다. 그러나 우리는 가난한 사람들을 위해 재산도 내어놓길 주저합니다.

 대부분의 교회의 설교단에서 결코 강론되지 않는 내용입니다. 십일조는 수없이 강조되지만, 교회에 헌금하도록은 수없이 강조되고 강요되지만, 가난한 이웃 교인에게 재물을 나누어주도록은 촉구되지 않습니다.

 이렇게 설교해본들, 그 목회자의 주머니로 돈이 들어오지 않기 때문입니다. 그러나 예수님은 그 부자 청년에게 돈을 예수님께로 가져오라고 하지 않으시고, 그 돈은 가난한 사람에게 나눠주고, 빈 몸으로 오라고 하셨습니다.

 한국 기독교가 개독교가 된 이유는 바로 여기에 있습니다. 돈은 교회로, 목회자에게로, 그리고 몸은 알아서.

## 비트코인보다 투자 수익이 높은 곳

5만 5천 달러를 통과했다. 비트코인이. 10만 달러까지 간다는 말도 나온다. 온라인 단일 통화로서 가치가 높을 수 있다.

일론 머스크 tesla ceo 등이 가세했다. 트위터 ceo 잭 도시도 지지하고 있다.

내 눈에 기이하게 보는 것이 있다. 이 세상에서 가장 확실한 것, 그것은 죽음이다. 길면 100여년 산다. 그리고 지속적으로 주변 사람의 죽음을 보고 있다. 그러나 전혀 죽음에서 교훈을 얻지 못하는 것이 내 눈엔 기이하다.

코로나 19 와중에 전세계 주요 기업의 주가는 폭등했다. 그 와중에 서민들의 삶은 더욱더 힘들어졌다.

거대 은행들은 이 시기를 이용해 예대마진을 통해 이익을 극대화하고 있다.

예레미야서 5장에 보면, 예루살렘을 향해 경고하시는 여호와의 말씀이 나온다. 예루살렘을 여러 재앙으로 치셨는데도 오히려 돌이키지 않고, 전쟁이나 기근이 오지 않을 것으로, 남들에게나 갈 것으로 말하는 사람들이 예루살렘 사람들이었다.

여호와께서 세상을 치실 때 쓰시는 방법이 전염병, 기근, 전쟁이다.

인류 역사 가운데 이는 지속되어 왔다.

이 코로나 시대에 부를 쌓고, 남을 것을 빼앗고, 오직 부를 더 늘리는 데 관심이 많은 세상을 향해 이젠 코로나 보다 더 무서운 벌을 이 지구에 내리실 것이다.

일론 머스크도 죽을 것이고, 잭 도시도 죽을 날이 멀지 않았다.

이 땅에서 레미제라블, 비참한 사람들로 살아가는 사람들을 돌보는 일이 가장 투자 효율이 높은 투자처임을 잊지 말아야 한다.

우리는 얼마 있지 않아 너무도 확실하게 죽을 것이기 때문이다. 비트코인의 가격이 앞으로 얼마가 될 지는 아무도 모른다. 그러나 우리 개별 사람들의 죽음은 너무도 확실하게 각자를 기다리고 있다.

지구의 멸망의 날이 언제일지는 아무도 모른다.

그러나 나의 죽음은 모두에게 너무도 확실하게 가까운 시일에 있다.

질량 불변의 법칙이 있다. 온 우주의 재화 총액 불변의 법칙이 있다고 본다. 누가 더 많이 가졌든 우주 전체로는 총액은 불변한다.

총액 불변 재화를 개별적으로 더 모으기 위해 노력하는 것보다는 내게 필요한 정도만 확보하고 나머지는 그 필요한 것들

을 확보하지 못한 사람들과 나누는 것이 훨씬 더 중요한 가치
다.

특히 정치 영역에서는 이를 어떻게 구조적으로, 현실적으로
실현할 지를 구체적으로 고민해야 한다.

저는 이것을 장단주기분배론으로 해결하겠다고 대안을 내놓았다.

건강 보험, 생명보험 등에 든다. 국가는 아예 건강보험을 직
접 관리한다. 그런데 사후 보험이 없다. 장례식 보험까지는 있
는데 사후 보험이 있다.

사후 보험을 국가가 들어줘야 한다.

가장 좋은 사후 보험은 바로 선행이다. 내 주변에서 각종 고
통으로 힘들어하는 사람들을 도우며 사는 것, 이것이 사후 보
험이고 이 투자 수익률은 죽음 뒤에야 알 수 있다.

볼테르는 신을 믿는 쪽을 택하겠다고 했다. 만약 신이 계시지
않아도 별 손해는 없는데, 만약 신이 계셔서 이 모든 지상의
일에 대해 사후에 심판하신다면 이는 큰 일이기 때문이라고
생각한 것이다.

## 불평등은 부패의 원인

수령이 뇌물을 안받으면 아전이 두려워한다과 다산이 목민심서에 쓰고 있다.

LH 직원, 공무원 땅투기는 고위직들과 국회의원들에게서 배운 것이다. 불평등은 부패를 유발하고, 이 부패는 국가를 망하게 한다고 마키아벨리가 로마사론에서 쓰고 있다. 이탈리아의 여러 나라들을 분석하고서 쓴 글이다.

대한민국의 불평등이 해소되지 못하면, 이는 필연적으로 부패사회가 된다. 악인들이 많은 것을 가진 사회가 불평등한 사회이고, 가난한 사람들이 천부적 자기 몫을 가지지 못한 사회가 불평등 사회이다.

생산 수단인 토지, 노동, 자본의 주기적 재분배는 한 사회의 부패를 막아내는 근본 대책이다. 그리고 생활수단은 초단기로 배분해서 가난해진 사람에게 제공해야 한다. 이것이 바로 장단주기 분배론이다.- 생활 수단 및 생산 수단의 장단주기 복합분배론-

## 국가 사회주의와 가족 사회주의

요셉이 만들어낸 것은 국가 사회주의라고 볼 수 있을까! 바로가 모든 것을 소유하고, 국민들은 토지를 임차하여 생산하고, 그 소출물의 5분의 1을 임차료로 지불하는 것.

그러면 요단강을 넘어간 이스라엘의 토지 분배 방식과 매 3년 십일조, 7년 안식년, 7년 노예 해방, 7년 원금 탕감의 면제년, 50년 희년 등의 방식은 무엇이라 부를 수 있을까! 가족 사회주의인가, 아니면 씨족 사회주의?

## 장단주기 분배를 직접 스스로 실험해보았다

 백신도, 때로는 기생충도 과학자가 자기 몸에 실험해보듯이, 아리랑당도 그리고 나도 장단주기 분배를 장기간 다양한 방식으로 실험해보았다.

 무이자 대출도 해보고, 자산도 나눠주어보았다.

 그리고 결론은 성경 말씀이 맞다는 것이다.

 태평천국의 난은 실패했다. 홍수전이 말씀대로 가지 않았기 때문이다. 자기의 왕궁을 짓고 거기에 갇혔다. 왕은 오직 하나님이시다. 모두 평등해야 한다. 특히 경제적으로.
 다만 지혜에 의해 재판이 공정하게 이뤄지는 시스템이 필요하다.

## 천민 자본주의 미국을 천민 자본사회주의 중국이 추월한다

 청교도들이 세운 나라, 미국이 이제 하나님의 버림을 받을 때가 다가왔다. 회개하지 않는다면 반드시 중국의 지배를 받게 되리라.

 마치 이스라엘이 회개하지 않고서, 결국 앗수르와 바벨론의 수중에 떨어진 것처럼.

 청교도들은 성경에 나오는 대로, 예수님께서 사람들을 사랑하신 것처럼, 서로 사랑해야 했다.

 예수님은 피와 살을 내주어 사랑하셨으니, 같은 교인들 간에 재산을 나누어주고, 집을 주고, 나그네를 받아들이고, 돈을 이자를 받지 말고 빌려주어야 했다.

 돈이 신이 된 나라는 결국 망하게 되어 있다.

 중국은 사회주의 국가가 아니다. 돈이 신인 나라다. 미국에게 돈을 섬기는 것이 어떤 것인지를 잘 보여줄 것이다.

 하나님을 섬기고, 이웃을 사랑하는 일을 제대로 하지 않으면 반드시 이런 더욱 악한 나라에 무너지게 되어 있다.

# 칠교판 맞추기 경제 정책

중국에서 시작되었다고 하는 칠교판 맞추기가 초등학교 2학년 과정에 있다. 참으로 다양한 모양이 이 일곱개의 판으로 만들어진다. 때로는 어려운 문제도 있다.

고정 관념을 버려야 쉽게 그 모양을 형성해낼 수 있다.

마찬가지로 대한민국의 지금의 난맥 사항인 주택 문제, 빈부 격차, 기초 수급 확대, 고금리 문제, 재정 낭비, 예산 부족, 세금 증대의 7가지 문제를 적절히 조합하면 최상의 대안을 찾을 수 있다.

그것이 바로 희년 조합이다.

1. 120조원의 LH 부채를 안고 있는 임대아파트를 그 임차인들에게 건물분을 토지임대부 방식으로 감정가에 분양해주면, 120조원의 정부 부채가 사라진다.

2. 이 정부 부채가 사라지면서, 동시에 이를 분양받은 기초 수급자들이 수급 상태에서 벗어나게 되고 이로 인해 매년 복지 재정 수십조원이 절약된다.

3. 이 150만호가 시장에 공급됨으로써 주택 공급 문제가 해결된다. 주택 가격이 하락하면, 정부가 확보한 자금으로 다시 기존 주택들을 대거 사들여서 주택 확보 물량을 확대한다. 이를 다시 20년 후 쯤 위 방식으로 임차인들에게 토지 임대부로 내

놓는다.

4. 토지 임대부임으로 건물 노후도에 따라 순차적으로 용적률을 상향하여 고층아파트로 재건축하여 다시 정부 보유 임대 아파트를 확보한다. 이는 정부 재정에 큰 도움이 된다. 이 임대 물량을 전세나 월세로 시세로 임대하기 때문에, 약 300만 호의 주택이 신규로 마련되고 이는 전세, 월세 시장의 안정화를 가져온다.

5. 위에서 남은 예산으로 30조원을 마련하여 제로 금리로 서민들에게 공급한다. 고금리로 시달리는 300만 가구에 이 자금이 제공됨으로써, 이들은 원금만 10여년에 걸쳐 갚으면 된다.

6. 위에 소요되는 예산은 매년 3천억원 정도다. 국고채 금리 1% 정도이므로, 이 비용만 정부가 부담하면 된다. 상환율도 거의 100%를 예상한다. 실제 서민들의 상환율이 이 정도 되기 때문인데, 10년 장기에 제로 금리이기 때문에 상환율은 더 높아질 것으로 보인다.

7. 위의 정책들로 인해, 불필요한 행정력이 절약되면서 공무원 임용도 줄여감으로써 예산 낭비는 더욱 더 줄일 수 있게 된다.

이렇게 경제 7교판이 맞추어지면, 대한민국은 생산성이 고도로 높아지고, 범죄는 줄어들게 되고, 국민 통합은 가속화되면서 세계 최고의 부자 국가로 발돋음하게 될 것이다.

남은 예산과 재정, 행정력을 산업 발전, 교육 발전, 연구 개발 등에 집중 투자함으로써 지속 가능한 성장 국가가 될 것이며, 동아시아 최고의 강대국이 될 것이다.

이로 인해, 북한보다 더욱더 공평하고 효과적인 사회가 됨으로써 통일을 앞당길 수 있게 되고, 체제 경쟁에서 승리하여, 분단 갈등 비용이 현저히 줄어들게 되고, 외교력도 증대될 것이다.

아리랑당과 김광종은 이 정책으로 내년 대통령 선거에서 승리하고 집권할 것이다.

부자가 3대 못간다는 속담이 있다. 지금 부자여도 그 후손이 가난해질 수 있다. 우리가 죽고서도 우리의 후손들이 영구히 가난의 문제, 경제 문제에서 벗어날 수 있다면 이런 시스템을 만드는 것은 우리 어른들의 몫이다.

이 시스템은 이미 이스라엘에서 수천년 전에 시도되었고, 성공한 것이고, 이런 변형이 서유럽 북유럽에서도 시도되었지만, 보다 전격적으로 시도된 적은 없다.

추가 예산이 투입되지 않으면서, 기존의 것들을 적절히 배합함으로써 완전히 새로운 세상을 만들어낼 수 있다.

LH 소유의 임대아파트들을 정부가 계속 보유하고 있으면, 부채 부담이 크고, 그렇다고 임대료를 올리기도 어렵고, 그 아파트들 주변의 사회 통합은 어려우며, 주택 문제는 지속적으로 심각하게 변해갈 것이고 자본주의가 발전할수록 상대적 빈곤 집단은 커져가고 이들에게 지급해야 할 복지 부담은 생산성 없이 늘어가며, 비효율적으로 예산이 낭비되고, 관리 인력으로 인한 행정력은 항상 부족한 상태가 될 것이다. 이런 모든 문제를 일거에 해결할 수 있는 방식이 바로 위 방식이다.

이것이 바로 대한민국에 대한 설계도이다. 설계도가 없는 상태에서 거대한 빌딩을 짓기 시작하는 일은 없다. 그런데 민주당이나 국민의 힘이 이런 장기 설계도나 프로그램 없이 국정을 운영함으로써 그간 많은 문제를 양산했다.

이제 아리랑당은 오랜 연구 개발을 통해 만들어진 이 설계도를 시행할 것이다. 이를 함께 할 300여명의 용사가 필요하다.

그리고 이를 시공할 세력이 필요하다.

내년 선거에서 위 임대아파트 거주자 중 선거권자가 300만명에서 500만명 정도로 추산된다. 그리고 고금리에 노출된 사람도 300만명 정도로 예상된다.

이들 약 500만명에서 800만명이 단결하고, 국가와 민족을 사랑하는 양심적 세력들이 집결하여 표를 몰아준다면 무혈 선거 혁명이 일어날 수 있다.

대통령 선거 기탁금은 3억원이다. 홍보물비를 절약하고, 위 인원들이 직접 선거 운동, SNS 운동에 나서준다면 저비용으로 선거를 치를 수 있다.

대통령 선거는 6개월 전부터 예비 후보를 등록하면 후원회를 만들 수 있다.

예비후보 등록은 내년 5월 말 선거라고 가정했을 때, 올 해 11월 말이나 12월 초에 시작될 것이다. 이 때 20%의 기탁금을 내야 하니, 6천만원이 필요하다.

이 자금을 마련하고, 6개월에 걸쳐서 1만명이 1만원 기부를 하면, 6억원이 모이게 되고 선거를 완벽하게 치를 수 있게 된다.

대한민국은 이제 헬조선에서 완전히 새로운 대한천국으로 바뀔 수 있게 된다. 중국도, 일본도 무시할 수 없는 엄청난 강대국으로 부상할 것이다.

이 일을 우리가 이뤄낼 수 있다. 하나님께서는 우리를 도우실 것이다. 안중근 장군이 꿈꾸셨던 동양 평화는 이뤄지고, 장군의 유해도 효창 공원에 모실 수 있으며, 위안부 할머니들은 청와대에서 여생을 보내실 수 있다.

청와대는 국가 유공자, 국가 피해자들께 돌려드리고, 성남 비행장에 대통령 업무 시설을 마련하고, 대통령은 인근 임대아파트에 거주하며 출퇴근하게 된다. 임기 후에도 임대아파트로 돌아간다.

그리고 헌법 개헌을 통해, 대통령제를 폐지하고, 내각제로 바꾸며, 연립 정부를 구성하는 방식을 채택한다. 권력 집중은 반드시 타락하게 되어 있다.

# 기본 소득, 안심 소득, 표절

이재명 지사의 기본소득, 그리고 오세훈 시장의 안심 소득을 둘러싸고 허경영까지 가세하여 원조 주장을 하고 있다.

표절이 정치판에서도 넘친다.

나의 책, 장단주기분배론이 이들보다 훨씬 앞선다. 2002년에 이미 완성된 책이다. 부제는 생활 수단 및 생산 수단의 장단주기 복합 분배론이다.

기본 소득은 생활 수단에 포함된다.

그런데 나의 이 책은 당시 성토모 지도자이자, 대구카톨릭대 전강수 교수님이 당시 염창동 토론에서, 처음에는 별다른 것이 없다고 말씀하셨다가 독특한 점이 있다고 하셨고, 이 부분을 경제학자들에게 평가받아보는 것이 어떻겠는지 말씀하신 적이 있다. 그리고 이 책을 무엇을 보고 썼느냐고 물어보시고, 내가 거기에 대해, 성경과 자본론과 국부론 등을 읽고, 생각이 나서 쓴 이론이라고 하자, 농담조로, 자기와 급이 다른 천재라고 나에게 말씀하시면서, 그런데 경제학자들에게 평가를 받아보면 좋겠다고 말씀하셨다.

나는 내 책에 대해서 철저히 그 원천이 하나님께 있다고 말씀드린다. 모세 오경에 나오는 내용, 그리고 성경이 끊임없이 말씀하시는 내용, 구제, 한 조상, 공동체.

사람 앞에서 주를 시인하면, 하나님도 우리를 천국에서 시인하실 것이다.

나는 내 이론이 결코 독창적인 것이 아니고, 내가 천재도 아닌 것을 이야기한다. 이 책은 오직 성경에 기반하고 있다. 좌파들, 우파들이 이해하기 쉽게 그들의 용어로 성경 말씀을 번역했을 뿐이다.

이재명이나 오세훈이나 허경영이나 진실해지길 바란다. 아리랑당에서 일하다가 한나라당, 지금의 국민의 힘으로 간 한 후배가 그런 말을 한 적이 있다. 한나라당에서 쓰는 많은 정책들이 아리랑당에서 베껴간 것이라고.

이재명이나 오세훈이나 허경영이나 하나님의 영광을 위하여 일하길 바란다. 자기의 영광을 구하지 말고, 먼저 하나님의 영광을 구하고, 하나님을 사람들 앞에서 시인하길 바란다.

기본 소득, 기본 대출, 기본 주택으로 대선을 준비하는 이재명지사나, 거기에 모든 것을 안심으로 바꿔서 대응하는 오세훈 시장이나 그 이론들이 성경에서 연유하였음을 밝히길 바란다.

예수닝이 진실하신 것은 자신의 영광을 구하지 않고 하나님의 영광을 구하셨다는 것이다. 이단들의 특징은 바로 자신의 영광을 구하는 것이다.

예수님은 하나님의 영광을 위하여 모욕적인 십자가로 끌려가셨다.

정치 현장에서 하나님의 영광을 이야기하는 것은 필패라고 나에게 말하는 사람들이 많다. 그러나 이 땅에서 성공하기 위해 하나님을 감추는 것보다, 십자가로 끌려가더라도 진실을 말하는 것이 더 중요하다.

하나님은 진실이시고, 성경 같은 책은, 그렇게 인간사에 대한, 사회와 국가에 대한 정확한 이론을 제시하는 책은 없기 때문이다.

표절 정치인들, 표절 학자, 표절 박사들이 너무 많다. 출처를 밝혀야 하고, 인용 표시를 해야 한다.

사람들 앞에서 하나님과 성경을 시인하길 바란다. 이재명지사와 오세훈시장은.

대통령이 되는 것보다 더 중요한 것은 진실이다. 우리가 다 죄인이지만, 십자가 옆에 매달린 강도처럼, 거기서라도 예수님을 시인해야 한다.

그리고 이제 가려면, 기본 자산도 얘기해야 한다. 이는 장단주기분배론의 핵심이다. 희년의 핵심이다.